マイナビ新書

人生を豊かにしたい人のための世界遺産

宮澤光

マイナビ新書

はじめに

２００１年9月11日に起こったアメリカ同時多発テロと並んで、21世紀を代表するであろう歴史的な大事件の真っただ中に今、私たちはいます。新型コロナウイルス感染症（ＣＯＶＩＤ－19）の世界的な感染拡大は、あっという間に、公衆衛生という点だけでなく、私たちの社会活動全体に大きな影響を与えるまでになりました。

これは世界遺産活動にとっても無関係ではなく、1年に1度開催される世界遺産委員会が、２０２０年は延期され、２０２１年には史上初めてオンラインで開催されました。世界遺産の保護の点でも、監視員がいないために密猟や植物の不法採集が増加した他、遺跡内に住み込むなどの不法占拠や、管理不足による遺跡の劣化や破損などの被害が出ました。

また、世界的に経済活動が停滞したことにより保護のための公的予算が削られ、遺産の公開中止などによる収入減もあって、世界遺産には痛手となりました。

私たちは大きな混乱の中にいますが、感染症による社会混乱というのは人類にとって初めてのことではありません。

かつて世界を襲った感染症と言えば、中世のペスト（黒死病）です。ヨーロッパでは1347年に感染が始まり、ヨーロッパの人口を約3割も減少させました。ペストの被害が拡大した理由は様々で、魔女が連れている不吉な動物である猫を人々が殺したためにペスト菌を運ぶネズミが繁殖したという研究もあります。中でも大きかったのは地中海を中心とする交易の拡大です。商人たちは商品だけでなくネズミも一緒に運び、ペストの感染を拡大させていきました。

中世ヨーロッパの医師たちはペストが空気感染すると考えて、窓を閉め切って空気の入れ替えを遮断し、肌を空気にさらす入浴も禁じたそうです。ヨーロッパのお城によく残されている厚いタペストリーは、窓にかけて空気を遮断するのに使われました。ペスト医師のカラスの顔のようなマスクも、空気感染を防ぐためのものです。その中で出てきた感染対策が、感染者と感染が疑われる人の隔離です。

１３７４年にヴェネツィア共和国で、ペストが流行している地域からの船舶の入港を30日間押しとどめ、その間に感染者が出なければ入港できるという政策が採られ、１３７７年にはラグーサ共和国（現在のドゥブロヴニク）でも同様の政策が行われました。

クロアチアの世界遺産「ドゥブロヴニクの旧市街」にはこうした歴史を伝える資産が残されています。交易で栄えたドゥブロヴニクは、城壁に囲まれているが故に、感染症が持ち込まれると大きな被害を受けるため、城壁の外に検疫所を兼ねた隔離施設「ラザレット」が１５９０年に築かれました。ラザレットでの検疫と隔離は40日間で行われました。

この「40」という数字、ラグーサ共和国で使われていたイタリア語では「クアランタ（quaranta）」と言います。そして「検疫」はイタリア語で「クアランテーナ（quarantena）」、英語でも「クワランティーン（quarantine）」と言います。「検疫」の語源は、ペストの時期に各都市が行った隔離政策に由来しているんですね。

また陸上の交易でも商品の移動を管理する検疫が行われるようになり、商人たちは各都市が発行する「衛生通行証」を持ち歩くようになりました。この「衛生通行証」がパスポートの元になったそうです。

こうして見てみると、感染症の拡大予防が、パスポートや検疫などの行政的な進歩と関係していることがわかります。これは感染症予防が、社会の治安維持や都市（国家）防衛などの側面と強く関係しているためです。フィレンツェで、人々が集まる修道士たちの公開説教を衛生官が禁止し、それに憤った教皇が衛生官を全員破門してしまったなんてことを聞くと、混乱ぶりがわかって笑いそうになりますが、笑ってはいけませんね。

私たちは長い歴史の積み重ねの上に立っています。科学技術や医療など様々な分野で進歩をしてきていますが、たいていの出来事は似たようなことを人類は既に経験しています。世界遺産はそうした人類や地球の歩みの積み重ねと言えます。世界遺産を学び世界遺産から学ぶことで、目の前の問題を解決するヒントが見つかるかもしれません。

世界遺産に関連する書籍は既に多く発行されていますが、本書は個々の遺産の解説だけでなく、世界遺産活動の背景や世界遺産活動で守りたい世界の多様性、ストーリーで読み解く世界遺産など、興味を持って世界遺産を身近に感じてもらえる内容になっています。

ぜひ最後までお楽しみください。

人生を豊かにしたい人のための世界遺産

目次

第3章　世界遺産といえばここ！

第4章 意外な世界遺産といえばここ！

第5章　ストーリーで読み解く世界遺産

第1章

世界遺産はなぜ必要なのか

世界遺産はいくつある？

２０２２年2月現在、世界中に世界遺産がいくつあるかご存じですか。１９７8年に世界で最初の12件の世界遺産が誕生してから、毎年のように増え続け、２０１４年にボツワナの「オカバンゴ・デルタ」が記念すべき１０００件目になった後、現在は１１５４件もの世界遺産が登録されています。

これは、仮に国際連合の加盟国１９３カ国で単純に割ったとすると、１つの国に約6件の世界遺産があることになる数です。イタリアのローマ市内にある、東京ディズニーランドよりも小さなヴァティカン市国にも6つの世界遺産があると考える計算ですから、地球上は世界遺産だらけという感じがしなくもありません。

実際には、世界遺産条約に参加している国は１９４カ国あり、そのうち世界遺産を持っているのは１６５カ国のみ。一番多く持つイタリアが58件で、世界遺産を1件しか持たない国が35カ国、世界遺産条約を批准していながら世界遺産が１

「ヴァティカン市国」のサン・ピエトロ大聖堂

件もない国が27カ国もあります。世界遺産の数が1件以下の国が全体の32%を占めていると考えると、多くの世界遺産が登録されている割には、アンバランスに存在している感じがしますね。

因みに、先ほど挙げたヴァティカン市国には2つも世界遺産があります。1つ目はヴァティカン市国全体が登録範囲の「ヴァティカン市国」という世界遺産。国全体が世界遺産に登録されているのはヴァティカン市国だけです。2つ目は、イタリアと共同で登録している「ローマの歴史地区と教皇領、サン・パオロ・

フォーリ・レ・ムーラ聖堂」です。これはローマ市内の教皇ウルバヌス8世が築いた城壁の内部と、ヴァティカン市国の教皇領である「サン・ジョヴァンニ・イン・ラテラーノ大聖堂」「サンタ・マリア・マッジョーレ大聖堂」「サン・パオロ・フォーリ・レ・ムーラ聖堂」が登録されています。

この教皇領の中で、「サン・パオロ・フォーリ・レ・ムーラ聖堂」だけがウルバヌス8世の城壁の外にあり、聖堂の名前にある「フォーリ・レ・ムーラ」というのは「城壁の外」という意味です。つまり、「サン・パオロ・フォーリ・レ・ムーラ聖堂」は「城壁の外の聖パウロ聖堂」という名前なのです。面白いですね。

世界の多様性を表す世界遺産

こうした世界中にある多くの世界遺産は、世界の多様性をそのまま体現しています。世界遺産と聞くと多くの人がイメージするであろうイタリアの「コロッセウム」やパリの「エッフェル塔」、インドの「タージ・マハル」、アメリカの「グランド・キャニオン」などのような有名なものだけでなく、無名で個性的な世界遺産がたくさんあります。むしろ無名な遺産の方が圧倒的に多いのです。

　例えば、オランダの「リートフェルト設計のシュレーダー邸」は、建築家のヘリット・リートフェルトがシュレーダーさんのために設計したモダニズム建築の個人宅です。この世界遺産、広さが0・000075㎢しかないんです。小数点以下が多すぎるので平方メートルにする

タージ・マハル　©Elena-studio

シュレーダー邸

と75㎡。これは坪数で考えると約22・7坪。畳で考えると約45・4枚分です。ホテルの大広間ほどしかないということです。

一方、世界で最も広い世界遺産は、フランスの自然遺産「フランス領南方地域の陸と海」で、672969㎢もあります。これは北海道の約8倍。南極に近い島々と周辺の海域の3カ所が登録されています。最小の世界遺産との差がすごいですね。

文化遺産で一番広いものはモン

ゴルの「グレート・ブルカン・カルドゥン山と周辺の聖なる景観」で、4437㎢もあります。この地は、モンゴル帝国の初代皇帝であるチンギス・ハンの一族にとって重要な聖山と大草原です。チンギス・ハンはこの地に埋葬されていると考えられていますが、埋葬地がどこなのかはまだ明らかになっていません。また、この世界遺産は周囲の別の聖山も含むように拡大登録を目指しているので、今後もっと大きな世界遺産になるかもしれません。

他にも「シュトルーヴェの測地弧」という世界遺産は、10カ国にもまたがっています。普通、世界遺産というと、それぞれの国を代表するもので、国ごとに決まっているようなイメージですが、国境をまたいで存在する「トランス・バウンダリー・サイト」と呼ばれる世界遺産もあります。その中でもこんなに多くの国にまたがる遺産は珍しいものです。これは、フリードリヒ・フォン・シュトルーヴェというロシアの天文学者が265カ所もの測地点を定めて三角測量を行い、地球の大きさや形について調べたものです。

ひとつひとつの構成資産は、測地点となった天文台や教会などなのですが、最も小さなものはロシアのゴークランド島にあるミャキピャリュスという測地点の石で、登録範囲は石の周囲も含めてわずか6㎡しかありません。これは畳約3・7枚分。物置くらいの大きさでしょうか。因みに、現在は10カ国にまたがるこの遺産、19世紀前半にシュトルーヴェが測量を行っている頃はたった2つの国でした。それが現在は多くの国が独立して10カ国にもなっています。

登録内容として珍しいものでは、食肉工場が登録されているウルグアイの「フライ・ベントスの産業景観」や靴型を作る工場であるドイツの「アールフェルトのファーグス靴型工場」など、そんなのが世界遺産になっているの!? と驚くようなものもあります。豪華なお城や荘厳な教会といった世界遺産のイメージと結びつかないですよね。また、「ブリムストーン・ヒル要塞国立公園」のあるセントクリストファー・ネーヴィスや、「アンティグアの海軍造船所と関連考古遺跡群」のあるアンティグア・バーブーダ、「マロティ――ドラーケンスベルグ公園」

ファーグス靴型工場　©Sina Ettmer

のあるレソト王国など、その国どこにあるの？　と地図帳で探してしまうような国の世界遺産もあります。本当に多様な遺産が世界遺産に登録されているのです。

日本に目を向けてみると、日本はユネスコ総会で世界遺産条約が採択された時の議長国だったにもかかわらず、条約の批准が遅れ、1992年にようやく世界遺産条約を批准します。世界に遅れること20年、先進国の中ではオランダと並んで最も遅い批准です。そして最初の4件の世界遺産が誕生したのは、翌年の1993年。

それでも、その後は順調に登録数を増やし、２０２１年には「奄美大島、徳之島、沖縄島北部及び西表島」と「北海道・北東北の縄文遺跡群」の２件が追加されて、現在の世界遺産数25件は、世界で11番目に多い数です。

日本で最初の世界遺産は「法隆寺地域の仏教建造物群」「姫路城」「屋久島」「白神山地」の４件ですが、どれも有名で納得の遺産です。しかし、日本の世界遺産でもすべてが誰でも知っている有名な遺産というわけではありません。

姫路城

京都の「鹿苑寺金閣」や奈良の大仏のある「東大寺」、静岡と山梨の「富士山」、大阪の「仁徳天皇陵古墳（大仙古墳）」などの有名なものだけでなく、静岡の「韮山反射炉」や東京の「国立西洋美術館」、福岡の「沖ノ島」、長崎の外海《そとめ》にある「出津《しつ》集落」など、一般的にはあまり知られていないと思われるものも登録されています。ここでも世界遺産が多様性を持っていることがよくわかります。

世界遺産は珍しいからこそ素晴らしい？

こうして見てみると、有名なものから無名なものまで世界遺産は思っていたよりもたくさんあること、それが一部の国や地域に偏在していることがわかります。ここに世界遺産の現在の課題と可能性、そして世界遺産の存在意義があります。矛盾しているようですが、そうでもないのです。

現在の世界遺産の登録数については、様々な意見があります。登録数が多すぎると批判する人の中にも意見は様々です。そもそも世界遺産なんて必要はないと言う人もいるので、そういう人は置いておくとして、多すぎると考える人は大きく2つに分けられます。

1つ目は、世界遺産が増えすぎると価値がなくなる、というものです。稀少だからこそ「世界遺産」に相応しいのであって、世界中のあれもこれも世界遺産だとありがた味がなくなるという意見です。ましてや、工場や誰も行かないような小さな古墳、地下にしか遺産が残されていないため行っても何もない先史時代の遺跡など、わざわざ世界遺産にする必要があるの？　なんてことを言う人もいます。

これは、世界遺産の「人類共通の宝物」という側面を重視した見方と言えます。世界遺産は確かに、世界中の国や文化、宗教などに属する文化財や自然、街並みなどを、人類全体にとって残すべき貴重なものであるとして、世界遺産に登録し、保護してゆく活動です。ですから、世界遺産に登録されるということは、特定の人々にとってだけの宝物から、「人類共通の宝物」になることを意味するという言い方はよくされます。そうした「宝物」という見方から考えると、世界中のどこにでも宝物が溢れているという状況、つまり登録数が増えすぎるという状況は、「世界遺産」の価値の相対的な低下を意味します。それに、どこにでもありそうな工場が「世界の宝物」とはどうしても思えないのです。

特にこうした世界遺産の稀少性を重視する視点は、世界遺産登録による経済効果を期待する人々によく見られます。実際、世界遺産になるためには、推薦書を出してからでも登録まで1年半ほどかかりますし、そもそも推薦書を出すまでに何年も準備をする必要があります。長ければ、推薦書を出すまでに何十年もかかっているところもあるのです。

何千ページにも及ぶ英語（もしくはフランス語）の推薦書を書き上げるまでには、調査研究や調査書類の作成、国際会議や専門家会議の開催、国の機関との保護体制の調整や法整備、それに関わる人員配備など、大変な作業が山積みで、資金も億単位でかかってきます。そうした推薦にかかる人的、物的、資金的コストの高さから、世界遺産登録を断念する自治体や国もあります。

莫大なコストをかけて世界遺産になるのだから、世界遺産登録後に「見返り」が欲しくなるのも仕方がないのかもしれません。多くの世界遺産では、世界遺産登録による経済効果が期待され、その経済効果の大きさや、どれほど効果が持続するのかで一喜一憂するのです。

特に新型コロナウイルスの感染が世界的に広がる前までは、ＵＮＷＴＯ（国連世界観光機関）の報告によると世界各国の海外旅行者数は年々増加していました。２０１８年に14億人を突破すると、２０１９年には14億６０００万人にまで達しており、１９９５年の海外旅行者数の約５億２５００万人から四半世紀で約２・８倍も増加しているのです。背景には新興国における人々の所得が増えたことなどによる海外旅行に行くことができる人の世界規模での増加や、ＬＣＣ（Low-Cost Carrier：格安航空会社）やAirbnb（民泊の新たな形態を提供する会社）、大型クルーズ船観光などの新たなビジネスモデルの登場、SNSを含む多様なメディアの登場による情報発信などが考えられます。

また、観光客の受け入れが観光客を受け入れる国における輸出と考えるマクロ経済の視点で見ると、2019年のUNWTOが分析した世界の輸出総額の統計では、全世界の観光による輸出額は1兆7420億USDで、石油の2兆3100億USDと化学の2兆1940億USDに次いで第3位にあります。これは自動車の1兆5280億USDや食料の1

ヴェネツィアに寄港する巨大なクルーズ観光船

兆５０２０億ＵＳＤよりも多い金額です。このように、観光産業は世界経済で重要な位置を占めるようになってきており、世界遺産はその一翼を担う重要なコンテンツになっています。

日本においては、観光人口の増加は、人口の減少と高齢化が指摘される日本社会の救世主になると期待されています。２０１７年の観光庁の試算によると、日本に定住している人の１人当たりの年間消費額は約１２５万円で、これは旅行者の1回あたりの消費額に換算すると、外国人観光客であれば８人分、宿泊する国内旅行者であれば25人分、日帰りの国内旅行者であれば81人分に相当するそうです。つまり、少子高齢化の流れの中で定住人口を増やすことが困難な地方都市などは、観光人口を増やすことで地域経済を維持することが可能だと考えられているのです。

そうした点から考えると、世界遺産が増えすぎて稀少性が損なわれると、観光資源としての価値も低下し、世界遺産登録の経済効果が薄れてしまいます。ですから、世界遺産はもうこれ以上増やさないで欲しいという「本音」を漏らす世界遺産をもつ地元の人もいるのです。しかし、気持ちはわかるのですが、自分のところは世界遺産でいいけど他は困るというのは、ちょっと自分勝手な意見という気もします。

実際は、世界遺産になったところで必ずしも大きな経済効果があるわけではなく、登録後すぐに観光客数が減っている世界遺産も少なくないということは、あまり顧みられていません。オーバー・ツーリズムが問題になっている遺産なんてほんの一握りなのです。法隆寺の観光客数は登録年の103万人から翌年には99万人に減っているし、姫路城も登録年の102万人から翌年は98万人に減ってしまっています。富岡製糸場は登録年には前年から約103万人も増加して134万人の観光客数がありましたが、翌年には114万人に減少し、翌々年には80万人にまで減少してしまいました。その後も減り続けてしまっています。

石見銀山の場合は、登録年は登録前年から31万人増加して71万人、登録翌年はさらに増えて81万人までいきましたが、その翌年は56万人にまで減少してしまっています。つまり経済効果という観点から行くと、世界遺産登録は必ずしも割に合うものではないということなのです。

２０２０年は新型コロナウイルスを原因とする渡航制限や国境封鎖などにより、２０１９年に比べて世界で約10億人、74％の減少になっています。観光業界や世界遺産をもつ地元経済界には大打撃で、２０１９年に世界遺産登録された大阪の「百舌

石見銀山の龍源寺間歩

鳥・古市古墳群」でも期待した経済効果は今のところ得られていないようです。

世界遺産の保護には手間もお金もかかる

もう1つは、世界遺産が増えすぎると保護・保全していくことが難しくなる、というものです。世界遺産を保護するためには、保全計画を立て、それを実行するための法整備、予算の確保、人員整備などが必要で、それが適切に行われているかどうか継続的にモニタリングをする必要があります。世界遺産委員会でも、登録された世界遺産のモニタリング調査の報告書を2年に1度受けて、その内容を審議しています。つまり、世界遺産登録後にはその価値を守っていくために、また莫大なコストがかかるのです。

一方で、ユネスコ（国際連合教育科学文化機関：United Nations Educational, Scientific and Cultural Organization）の側も予算が十分ではありません。ユネスコは2年に1度総会が開かれ2年分の予算や各国の分担金比率なども決まるのですが、2020年と2021年の2年間の予算総額は約1435億円（1USD=108円で計算）です。金額だけ聞くと大きそうですが、東京大学の2021年度の1年間の予算が約2798億円であることを考えると、とても少ないことがわかります。

ユネスコの2年分の予算を単純に半分にして1年分と考えると、約718億円。東京大学はその約3・9倍もあるのです。アメリカの有名大学では1兆円を超える予算のところもあるので、ユネスコの予算はなんとも寂しい金額です。

そしてこれは世界遺産関連だけの予算ではなく、世界中で文化や科学、教育関連で様々な活動を行っているユネスコ全体の予算です。ですから世界遺産関連で何かをしようと思ってもどこからお金を持ってきたらよいのか、いつも頭を抱えてしまいます。

1年に1度開かれる世界遺産委員会も肥大化する国際会議の例に漏れず、莫大な運営費がかかるため、それを負担できる余裕がある国でしか開催が難しく、毎年なかなか開催国が決まらないということもあります。世界遺産の価値を事前に評価し勧告を出すICOMOS（国際記念物遺跡会議）やIUCN（国際自然保護連合）などの諮問機関も、現地調査や勧告の作成などにユネスコなどからお金が支払われていません。世界遺産登録の決定にあんなにも影響がある専門家の調査なのに、実態はボランティアなのです。

また、世界遺産登録の手順の見直しや事前評価（プレリミナリー・アセスメント）などのプロセス・体制の改善が議論されるたびに、その費用負担はどこになるのかということが大きな議題となります。世界的に注目を集める世界遺産の活動としては、あまりに不健全な状態と言えます。こうした状況のため、多くの世界遺産では保護のための予算が十分ではなく、世界遺産の本来の重要な目的の1つである保護・保全ができていないという状況に陥っています。

中には運よく民間企業が保護や修復の費用負担に手を差し伸べてくれることも

あります。イタリアの「ローマの歴史地区」にある「コロッセウム」は、イタリアの高級皮革ブランドのTOD'S（トッズ）がメセナの一環として約27億５０００万円を出資して修復を行いましたし、同じく「トレビの泉」ではローマを創業の地とする高級ファッションブランドのFENDI（フェンディ）が約２億５８００万円を出資して修復を行っています。FENDIが修復の終わった「トレビの泉」でファッションショーを行ったことでも話題になりました。

しかし、こうした例は非常に稀です。逆に言うと、世界で最も多くの世界遺産をもつ文化大国のイタリアでさえ保護の費用が足りていないことの証左でもありますし、多くの巨大企業を持つ先進国でしか成立しない方法とも言えるのです。ユネスコの経済状況がこのままの状態が続くようであれば、開発途上国などでは文化財や自然の保護が今後もっと疎かになってしまうことも考えられます。貧しい国を援助しようにも、援助できないのですから。

そのため、世界遺産活動をスリム化しようという議論もあります。世界遺産の

「ローマの歴史地区」にあるコロッセウム

登録数も制限して、保護の対象を「本当に大切なもの」だけに絞り込んで数を減らし、そこに少ない予算を注ぎ込むという考え方です。これは説得力があるようにも思えます。
　しかし、そんなことは本当にできるのでしょうか。そもそも「本当に大切なもの」とは、誰にとって大切なのでしょう。そして誰がそれを決めるのでしょうか。
　夫が結婚前から大切にしてきたアニメのフィギュアコレクションを、妻が勝手に捨てて大げんかになった、なんてネット記事を読んだことがありますが、結婚するほどには価値観が近い人同士であっても「大切なもの」は違っています。

そんなに大げさな話ではなくても、小さい子供が公園で拾った、なんてことのない小石を大事にポケットに入れて持ち歩いているなんてこともよくある話です。

つまり、「本当に大切なもの」なんて、人や文化、時代によってもまちまちで、それを保護する必要があるものだけに絞り込むということがまず難しいのです。

また、この絞り込むという作業で問題となってくるのが、ユネスコや世界遺産委員会、諮問機関などのヨーロッパ中心主義的な視点です。

歴史的に、私たちが生きる世界は西欧とそこから発展した北米の価値観に基づいて出来上がっています。国際機関の多くで働くスタッフは欧米の出身か、欧米で学んだ人々であり、それ以外の地域出身だったとしても国際機関で働くような人が受ける高等教育は、ほとんどが欧米で確立した「学問」体系に基づいています。

私たち日本人も、欧米から様々な概念を学び、それこそが「世界」であると勘違いしてしまうほどに、ヨーロッパ中心主義の価値観は内面化しているのです。

そうした人々が絞り込む「本当に大切なもの」が偏っているだろうことは、容易に想像できます。現在の世界遺産リストですら、偏りが指摘されているくらいなのですから。

世界遺産の数を減らすというのが現実的でない以上、世界遺産リストを「人類の宝物リスト」と「保護が必要な遺産リスト」に分けてはどうかという議論もあります。これは無形文化遺産条約の考え方を参考にしたものです。無形文化遺産リストには、「無形文化遺産の代表的リスト（代表リスト）」と「緊急に保護する必要のある無形文化遺産リスト（緊急保護リスト）」があります。

これも一理ありますが、あのイタリアの「ローマの歴史地区」でさえ保護のお金が足りていない状況を考えると、問題の根本的な解決にはなっていない気がします。保護の資金に話を戻すと、世界遺産に経済効果を求めるというのは、あながち間違いではなく、世界遺産によって得た利益を保護に回すことができるため、その点では世界遺産の数が多すぎるというのはやはり問題になってくるとも言えるのかもしれません。難しいですね。

多様性の保護こそ未来だ

2015年の1月7日、イスラム過激派のテロリストがフランスの風刺新聞「シャルリ・エブド」のパリ本社を襲撃する事件がありました。背景にあるのは、シャルリ・エブドが、イスラム教の創始者ムハンマドが両手で顔を覆い「バカな連中に愛されるのはつらいよ」と嘆いている「原理主義者にお手上げのムハンマド」という題名の風刺画などを掲載してきたことにあります。

シャルリ・エブドは、それ以外でも寝そべるムハンマドのお尻を強調するようなイスラム教徒を挑発する風刺画を多く掲載してきていました。そうしたことに不満をもったテロリストが、物事を暴力で解決しようとするやり方にぞっとします。彼らの行動に何の正当性もありません。

事件を受けて、世界中の人々が「Je suis Charlie（私はシャルリ）」というスローガンを掲げました。これは、「表現と精神の自由を守る」という、世界の意思の表れです。しかし、これは世界中の人々が「シャルリ・エブド社を支持している」というのとは違います。確かに、フランスには風刺画で政治や社会、宗教を風刺してきた長い伝統がありますし、シャルリ・エブド社は表現の自由を行使する権利があります。

シャルリ・エブド社の編集長は事件前、偶像崇拝を禁じているイスラム教のムハンマドの風刺を続ける理由として、「(すべての宗教を風刺しており）ムハンマドだけを特別扱いはしない」とインタビューに答えていました。確かに、イエス・キリストも度々、風刺画の対象になってきました。それが彼の考える公平性なのでしょう。

しかし、それはとてもフランス的な考え方だと思います。フランスに住んでいると、彼らが皮肉やアイロニカルな笑いが好きなことをよく感じました。風刺画はそうした文化や社会性の上で成り立つのです。

シャルリ・エブド社の風刺画が、フランス国内だけでなく、文化や歴史、宗教が全く異なる世界の人々の目にも触れる時代であるということを彼らはもっと意識しなければなりません。

彼らのいう「表現の自由」は、フランスの視点・文化に根ざしたものにすぎず、それが世界のどこでも、誰に対しても同じように通用し理解してもらえると考えるのは、あまりにも傲慢です。フランス人もドイツ人もアメリカ人も、イスラム教徒もキリスト教徒も仏教徒も、私たち日本人も、「表現の自由」を全く同じに解釈して理解してはいないのです。

このシャルリ・エブドの話は、世界遺産の状況とも無関係ではありません。

欧米を中心に作られた国連の専門機関ユネスコで採択された世界遺産条約や、世界遺産活動の考え方は、欧米の文化・思想を背景にしています。世界遺産条約がフランス語と英語で書かれている意味を考える必要があります。

英語の「snow」とフランス語の「neige」と日本語の「雪」が異なるように、「真正性」や「完全性」などの世界遺産の概念も、文化的背景や歴史、気候風土が異なれば、解釈が異なってくるはずのものです。さらに言うと、東京の「雪」と北海道の「雪」だって違うはずなのですから、世界中で共通する「概念」なんてあり得るのでしょうか。

世界中の9割以上の国と地域が参加する世界遺産条約には、そうした難しさがあるということを、世界遺産に関わる人々、特に欧米の人々は強く意識しなければなりません。どの国際条約でも言えることですが、「人類共通の価値」を目指す世界遺産では特に意識する必要があると思います。

私たち日本人は欧米から様々な概念を学び、それこそが「世界」であると勘違いしがちです。イスラムの視点から世界を見たらどうなるのか、ニュージーランドの先住民マオリの視点から世界を見たらどうなるのか。世界には無限の視点がありります。世界遺産の見え方も、がらりと変わってくるかもしれません。

「ダイバーシティ」という言葉を最近よく目にしますが、多様な価値観の中で考え学び生活することこそが公平・公正を目指す世界にとって重要であることは認識されています。

よく例で取り上げられるのが、19世紀のアイルランドのジャガイモ飢饉です。19世紀のアイルランドはイギリスの支配下にありました。イギリス政府が農業に重税をかけたため、アイルランドの農民たちは農作物の選択集中を行い、収穫物を得やすいジャガイモの生産に集中しました。

しかし、この効率化を狙った選択集中が仇となり、ジャガイモの疫病菌の流行による大飢饉でアイルランドの人口が4分の1ほど減少します。生き残った人たちもアメリカ合衆国などへ何百万人も移住したため、アイルランド語話者や文化の担い手が減るなど大きな打撃を受けました。つまり、選択集中や効率化というのは、短期的な経済の視点ではよいですが、危険性もあります。多様性というのは文化だけでなく経済活動においても重要なのです。

因みに、この時に移住したアイルランド移民の子孫に、あのケネディ大統領がいます。

世界遺産というのは、まさに世界の多様性を代表するものです。世界には私たちが普通に暮らしていると出会うことのない、様々な文化や自然があります。それをしっかり守って伝えてゆく。古臭くて不便な伝統的集落や開発の邪魔になる自然環境なども、世界遺産として守っていくべき理由はそこにあると思います。多様性の保護こそが私たちの未来なのです。

最近の世界遺産登録では、世界遺産リストの不均衡を是正する世界戦略「グローバル・ストラテジー」に沿って登録が進められています。世界遺産における多様性を推し進める戦略でもあるため、新規登録される遺産にはあまり有名でない、聞いてもよく知らないような遺産も多くあります。これは、世界遺産にするほどの価値がある遺産は登録し尽くされてしまったわけではなく、世界遺産が世界の多様性を代表するものになるようにしているのだなと思ってくださいね。

第2章

世界遺産の考え方

世界遺産とは何なのか

　ここまで、なぜ世界遺産が必要なのかお話ししてきましたが、第2章ではそもそも世界遺産とは何なのかについてお話ししたいと思います。

　世界遺産とは、1972年の第17回ユネスコ総会で採択された世界遺産条約に基づき、「世界遺産リスト」に記載された文化財や自然です。このように書くと、フランスの「ヴェルサイユ宮殿」のような美しいお城や、イタリア・フィレンツェの「サンタ・マリア・デル・フィオーレ大聖堂」のような荘厳な教会、ブラジルとアルゼンチンの「イグアスの滝」のような壮大な自然景観などが世界遺産であると思われるかもしれません。

　確かに、「世界遺産」はそうした不動産を登録するものです。また、世界遺産の数という時は不動産として登録されている文化財や自然の数でカウントするので、お城や教会、自然が世界遺産であるというのは間違ってはいません。しかし、

ヴェルサイユ宮殿　©Jbyard

「世界遺産とは何か」と聞かれた時の答えとして、そうした不動産だけを挙げるのは、世界遺産の一側面しか見ていないと言えます。

文化と自然の共存は珍しい？

今では世界でも成功した国際条約の1つとされる世界遺産条約は、正式名称を「世界の文化遺産及び自然遺産の保護に関する条約」といいます。名前からわかる通り、世界の「文化遺産」と「自然遺産」を1つの条約で守っています。日本で暮らす私たちからすると、文化と自然を分けて考えないことに違和感はあまりありませんが、国際機関などで中枢を担う欧米、特に西欧の人々の感覚からするとすごいことでした。

例えば、日本の世界遺産と関係のある、文化財を保護する文化財保護法ですが、世界遺産条約よりも20年以上前にできたこの法律では、世界遺産条約における有形の「文化遺産」だけでなく、無形文化財や文化的景観、「自然遺産」に相当する名勝や天然記念物まで含まれています。日本では、文化財を有形、無形、自然などで分けることができないものとして1つの法律で保護しようとしてきました。

世界的に考えると、かなり進んだ法律であったと思います。

　因みに、この文化財保護法が誕生するきっかけとなったのは、後に日本で最初の世界遺産の1つになる法隆寺金堂の火災でした。この時、古社寺保存法で国宝に指定されていた法隆寺金堂の貴重な壁画が焼損したことを受けて、文化財保護の体制を法的にも整え直す必要性が高まり、火災の翌年の1950年に文化財保護法が成立しました。

　その頃、世界遺産条約はどうなっていたかと言うと、ユネスコが1946年に

「紀伊山地の霊場と参詣道」の青岸渡寺と那智の滝
©SeanPavonePhoto

発足したばかりで世界遺産なんてまだ影も形もありませんでした。

歴史的に見て、西欧を中心とするキリスト教社会のヨーロッパや、キリスト教カルヴァン主義の一派であるピューリタンたちが初めに移住したアメリカでは、文化と自然は共存するものではなく対峙するものでした。彼らは厳しい自然を克服して切り拓き、人間の文明を築きあげていったのです。油断すると文明や人々の暮らしは自然に飲み込まれてしまうので、それはもう必死です。

多神教的なアニミズムが残る北欧や東欧がヨーロッパの主流となればまた話は違ったのでしょうが、あの豊かな神々をもっていた古代ローマがキリスト教を受け入れてヨーロッパ各地に広げたため、ヨーロッパでは基本的に文化と自然は分けて考えられてきました。自然とは異なる、人間の理性の力を信じているのだと思います。それはやはり、人間は自然の一部であるという日本古来の考え方とは違っています。

文化を表す「カルチャー（culture）」という言葉が、ラテン語の「耕す（colere）」

という意味の言葉に由来していることも興味深いですね。自然の大地に鍬や鋤を打ち込んで耕し、農耕に向くように手なずけるのが文化なのですから、採集や狩猟などによる自然との共存とはやはり違うのでしょう。

はじまりは「イエローストーン国立公園」

それでは、文化財と自然の保護はどちらが先だったのかと言うと、現在につながる流れの中では自然の保護です。

1872年、世界で最初の国立公園「イエローストーン国立公園」が誕生します。これは世界遺産条約が誕生する、ちょうど100年前のことです。当時のアメリカは、南北戦争も終わり、西部開拓も終わりに近づいた頃でした。世界でも先進的な工業国として歩み始め、石油や石炭などの豊かな天然資源を用いた更なる技術発展が進んだ時期でもあります。しかし、工業国としての発展や西部開拓による人間の生活地域の拡大は、自然破壊を伴っていました。

そうした状況に心を痛めている地質学者や自然学者、歴史家、探検家などの中から自然保護を望む動きが出てきます。地質学者のフェルディナンド・ヴァンデヴィア・ヘイデンや写真家のウィリアム・ヘンリー・ジャクソン、歴史家で探検家のナタニエル・P・ラングフォードなどは、イエローストーンの雄大な自然を報告書にまとめ、国立公園として守るように国に働きかけました。

巨大なマグマのホットスポットの上にあるイエローストーンでは、マグマの熱で熱せられた地下水が定期的に50m近くも噴き上げられる間欠泉や、バクテリアにより真青から緑、黄色、オレンジ、赤へと色を変える熱水泉、熱湯に含まれる石灰が白い階段状に固まった巨大なテラスなど、火山地帯ならではの独特な自然景観が見られます。それに、公園の約9割を占める深い針葉樹の森があり、グリズリー（ハイイログマ）やハクトウワシ、ヘラジカなど、アメリカの大自然を象徴するような多様な生物たちが暮らしています。それを何としてでも守りたい

イエローストーン国立公園の熱水泉

イエローストーン国立公園の間欠泉

という熱い意志が彼らにはありました。

彼らを動かしたのは、イエローストーンを、鉄道会社による開発で観光地にされてしまった「ナイアガラの滝」の二の舞いにはしたくないという強い想いです。ナポレオンの弟も新婚旅行で訪れたナイアガラの滝は、新婚旅行のデスティネーションとして開発されて世界的に知られる名所になりましたが、自然の保護という点では遅れており、残念ながら今も世界遺産に登録されていません。

イエローストーンの保護を求める活動はユリシーズ・グラント大統領を動かし、1872年に世界で最初の国立公園が誕生しました。ここから自然保護が、法の下という目に見える形で動き始めました。

少し複雑な文化財保護の歴史

一方で文化財に関しては、純粋に文化財を保護するというよりも、紛争時における文化財を含む財産の返還というところから始まります。

　文化財の返還に関しては、世界最初の近代国際法とも言われるウェストファリア条約に書かれています。三十年戦争の講和条約として１６４８年に結ばれたこの条約では、戦後の領土問題や財産の返還などについて細かく定められているのですが、紛争中に奪った領土の返還では城や要塞、人民、家屋や水車、森林、河川などと共に、城や町の記録などの文書まで返却することになっています。つまり、ここでは文化財の保護や返還について決められているというよりも、財産の権利に関して取り決めていると言えます。

　こうした紛争時の文化財を含む財産の返還に関しては、ナポレオン戦争後のヨーロッパの秩序について話し合った１８１５年のウィーン会議や、第一次世界大戦後の１９１９年のパリ講和会議などでも話し合われています。しかし、これは純粋な文化財の保護とは少し違う気がします。

　文化・宗教的な建物や歴史的な建造物などの文化財、病院などを戦争時に守ろ

シェーンブルン宮殿（ウィーン会議の会場）

うという条約は、現在につながるもので は、1899年の万国平和会議で採択され1907年に改定されたハーグ条約の中の、ハーグ陸戦条約が始まりです。ここでは文化財などをできるだけ攻撃対象としないことや、攻撃を受けないように文化財などにわかりやすい印をつけることなどが書かれています。

それをさらに踏み込んで戦争時の文化財保護を求めたのが、1935年にロシアの画家ニコライ・レーリッヒの働きかけによって締結された「芸術上及び科学上の施設並びに歴史上の記念工作物の保護に関するワシントン条約（レーリッヒ条約）」です。戦争時であっても文化的な建造物の保護を最優先すべきだという強い理念が示されました。

しかし、こうした戦争時において文化財を保護する条約は、残念ながら第二次世界大戦では十分に機能しませんでした。そこで第二次世界大戦時の反省から、1899年と1907年のハーグ条約や、1935年のワシントン条約（レーリッヒ条約）などを受け継ぎ、戦争時だけでなく平時にも文化財の保護に取り組む「武力紛争の際の文化財の保護に関する条約（ハーグ条約）」が1954年に採択されました。

この1954年のハーグ条約は、現在でも紛争がある度にユネスコが遵守を求める声明を出すほど、紛争時の文化財保護の基本理念となっています。しかし、ハーグ条約を批准している国は2022年2月時点で129ヵ国しかなく、その後にまとめられた第一議定書は107ヵ国、第二議定書は83ヵ国しか批准していません。実際の紛争が起こった時の実効性にまだ不安もあるのです。因みに、アメリカはどれも批准していません。さすが独自の道を行くアメリカって感じがしますね。

一方で、戦争時などに文化財が壊されないように守るというのとは別に、そもそも歴史的建造物はどのように保存し、修復したらよいのかを定めたのが、1931年にギリシャのアテネで開催された「歴史的記念建造物に関する建築家・技術者国際会議」で採択されたアテネ憲章です。

この憲章では、記念物や建造物、遺跡などの保存・修復に関する基本的な考え方がはじめて明確に示されました。そして、このアテネ憲章を批判的に受け継ぎ1964年にヴェ

ヴェネツィアとその潟

ネツィア憲章が採択されました。この憲章を基にＩＣＯＭＯＳ（イコモス：国際記念物遺跡会議）が設立されたほか、ここで示された保存・修復に関する「真正性」という考え方は、後に世界遺産における文化遺産の中心的な価値概念になっています。

ユネスコとヌビアの遺跡群救済キャンペーン

ユネスコはその間どうなっていたのかと言うと、早い段階からユネスコ憲章に基づく文化遺産の国際的な保護の枠組み作りについて議論を進めていました。１９５６年の第９回ユネスコ総会では、不動産や動産の文化遺産の保全強化を目的とした研究や、記録の作成、技術支援や技術者・専門家の養成を目的とするＩＣＣＲＯＭ（イクロム：文化財の保存及び修復の研究のための国際センター）の設立が採択され、１９５９年にローマを本部として設立されました。ＩＣＣＲＯＭ

は後に、ICOMOSや後述のIUCNと共に世界遺産委員会の諮問機関となり、世界遺産活動にとって重要な機関になっています。

その後、世界遺産の理念誕生につながる大きな出来事がありました。アスワン・ハイ・ダムの建設計画により、ヌビア地方にある古代エジプト文明の「アブ・シンベル神殿」や「フィラエのイシス神殿」などがダム湖の中に沈んでしまうかもしれないという危機です。

1952年、エジプト政府はナイル川の洪水を防いで経済を安定させるためにダムの建設を決定します。しかし、巨大なダムが完成すると貴重な「アブ・シンベル神殿」などがダム湖に沈んでしまうため、エジプトとスーダンの両政府から要請を受けたユネスコは、経済開発と遺産保護の両立という難題に取り組むべく、世界に向けて遺跡救済キャンペーンを1960年より展開し、本格的な募金活動が1964年から始まりました。

しかし、このキャンペーンはいろいろな意味で難しいものでした。

アブ・シンベル神殿　©Mystockimages

まずお金の問題です。救済のための約4000万USDの予算は、現在の価格では約3億USDにも及びます。ユネスコ自身には大きな文化財保護のための予算がないため、各国に協力を求め、約50ヵ国の国と民間企業、団体などから2600万USDの寄付が集まりました。日本からは朝日新聞社が27万USD寄付しています。日本政府からが1万USDだったので、朝日新聞社の寄付額は大きかったですね。

次に、アブ・シンベル神殿の保護の方法です。巨大な神殿を守るために、世界中から様々な案が出されました。中には、神殿の周りに厚いコンクリートの壁を作る案もありましたが、ダム湖の水圧に耐える壁を作るのが難しいこと、万が一壁が壊れた時の被害が大きすぎること、そもそも神殿の入り口から朝日が差し込み神殿内の神像を照らすという価値が損なわれてしまうことなどから却下されました。

検討の結果、採用されたのはスウェーデン案の、神殿を細かなブロックに切断してダム湖の上まで運び、再び組み立てるというものでした。神像を切り刻むことに反対意見もありましたが、保護するために最も実現可能な案として採用されました。アブ・シンベル神殿を築いたラメセス2世が生ま

アブ・シンベル神殿の移築の様子

れた日と即位した日とされる、10月22日と2月22日の朝日が移築後も神殿の奥まで差し込むために、神殿の角度まで細かく計算された移築でした。

最後に一番の難題が、エジプトを巡る冷戦下の国際情勢です。1954年に首相となったエジプトのナセル大統領が、1956年に正式に大統領になるとイギリスとフランスの国策会社が運営するスエズ運河を国有化することを決定したため、欧米諸国が大反発していたのです。イギリスとフランスはエジプトと対立していたイスラエルを支援する形で圧力をかけ、第二次中東戦争が起こります。エジプトはこの戦争には敗れましたが、ソ連がダム建設の資金援助を申し出て、ダム建設が始まりました。

つまり、ユネスコはこうした難しい国際情勢の中で、対立する国々の間に立って救済キャンペーンの調整をしなければならなかったのです。読んでいるだけでも胃が痛くなるような状況ですよね。大きなターニングポイントになったのが、文化大国フランスの文化大臣だったアンドレ・マルローが、1960年のユネスコ会議で「世界文明の第1ページを刻む芸術は、分割できない我々の遺産である」という演説を行い、キャンペーンへの協力を呼びかけたことです。これにより、「人類共通の遺産」という理念が国際社会に広がりキャンペーンが成功しただけでなく、一国の遺産に対し世界中の協力が集まったことで後の世界遺産条約の理念へとつながっていきました。

またこの出来事で、ユネスコにとっても文化遺産の保護のための本格的な国際規模の体制づくりが現実的な課題となりました。ユネスコはこの後も、地盤沈下により水没の危機にあるヴェネツィア救済のための1966年のキャンペーンや、風化や劣化が進むボロブドゥールの仏教寺院群救済のため

ボロブドゥールの仏教寺院群

の1968年からのキャンペーンなどを行い、世界遺産条約の下地が少しずつ整っていきました。

2つの動きが合わさった世界遺産条約

ここまで見てきたように、自然遺産の保護と文化遺産の保護は、国際的には別々の歴史を歩んできていました。それが1つに合わさった保護体制になっていく背景には、第二次世界大戦後の1950年代から1960年代にかけての世界的な高度成長期と、経済重視の開発の激化がありました。これまでの脅威とは異なる新たな脅威が生まれ、自然と文化を別々に保護していくことが難しくなってきたのです。

1965年にアメリカは、自然遺産と文化遺産の両方を保護する「世界遺産トラスト」の設立を、国内の「自然資源の保全と開発に関する委員会」を通して提唱し、ユネスコを中心に1948年に設立した自然保護のためのNGOであるIUCN（アイユーシーエヌ：国際自然保護連合）と共に、検討を進めていました。アメリカのニクソン大統領が目指していたのは、世界遺産トラストをイエローストーン国立公園設立100周年に当たる1972年に設立することでした。一方でユネスコもフランスの協力を得ながら、「普遍的価値を有する記念碑、建造物群、遺跡に関する国際的保護条約案」をまとめ、1971年には国連加盟国へ回覧していました。

比較的に自然保護に重点が置かれた「世界遺産トラスト」案は、1972年6月にスウェーデンのストックホルムで開催予定の、世界初の国際環境会議「国連人間環境会議」に向けた準備会合で議論されました。そこで、ユネスコ側が比較的に文化遺産に重点を置いた条約案をまとめて既に各国に回覧していることから、両方の案を1つにしてユネスコが条約にまとめ上げることが望ましいとの結論に至ります。

そこから大急ぎで、2つの案の融合が進められました。なにせ1972年中に条約を成立させるというのがアメリカの希望ですから、お尻が決まっていたわけです。ユネスコ内でもIUCNと協力していた自然科学局が進める地球環境の保全と、文化局の進める文化財の保護のすり合わせが行われ、1972年4月に開催されたユネスコの専門家会議で1つの条約案がまとまりました。

しかし、その半年後の11月に開催されたユネスコ総会で行われた世界遺産条約の議論では、世界遺産基金に関して紛糾しました。全38条からなる世界遺産条約の大部分は、国際援助のための体制や世界遺産基金の設立、その運用の方法に割かれているのですが、その世界遺産基金の拠出方法について欧米諸国と開発途上国で意見が対立したのです。

アメリカやドイツなどは基金への拠出は任意にすべきだと主張したのに対し、開発途上国からは義務として支払うべきだとの主張がなされ、議論は平行線を辿ります。最終的にはユネスコの分担金の1%以下の金額を義務的に支払い、そのほかに任意の拠出金も受け入れるという形でどうにかまとまりました。この難しい総会を取りまとめた議長は、萩原徹日本政府代表です。

こうして、自然と文化を1つの条約で守る世界初の画期的な世界遺産条約が誕生しました。ここまで長々と背景を書いてきたことからわかるのは、世界遺産条約が世界的に有名な遺産を登録するものではなく、世界各地の自然や文化財を守り、次の世代へと伝えていく活動だということです。ですから、「世界遺産とは何か？」と聞かれた時に、世界遺産リストに記載された遺産を挙げるだけでは不十分なのです。自然遺産や文化遺産を守る活動こそが世界遺産だと言えます。

「顕著な普遍的価値」と世界遺産の3つの分類

世界遺産リストに記載されている世界中の世界遺産は、「顕著な普遍的価値(Outstanding Universal Value)」を持っていると考えられています。英文の頭文字を取ってOUVとも呼ばれます。この「顕著な普遍的価値」とは、国家や文化、民族、宗教、性別などという枠組みを越えて、人類全体にとって現在だけでなく将来世代にも共通した重要性を持つような、傑出した文化的な意義や自然的な価値を意味しています。いかにも世界遺産が持つ価値に相応しい感じがしますよね。

しかし、よく考えてみると、具体的にはイメージしにくい価値ではないでしょうか。なんだか、すごそうなんだけど、よくわからない感じ。

この「顕著な普遍的価値」の解釈については、世界遺産委員会でも何度も議論がなされました。なぜなら、世界遺産が持つ「多様性」と、その価値の「普遍性」がどうもしっくり組み合わさらないからです。世界遺産委員会で話し合われた結果、多様性を持つ世界各地の文化を代表する文化遺産や自然遺産は、人類全体にとって普遍的な価値を持つと解釈されました。

つまり、普遍性の中には、世界の多様性が含まれているということです。世界各地の文化や自然の多様性や差異を尊重しつつ、それを戦争や開発、自然災害や異常気象などの新たな危機から、人類にとって普遍性を持つものとして協力して守るというのが、世界遺産条約の理念です。そして、そこでの国や地域間の協力が平和な世界を作るという、もう1つ上のユネスコの理念につながっていきます。

顕著な普遍的価値を持つ世界遺産は、3つに分類されます。人類が生み出した建造物や自然環境に順応しながら作り上げた文化的景観などを登録する「文化遺産」、地球の歴史や動植物の進化を伝える自然環境、美しい景観などを登録する「自然遺産」、その両方の価値を持つ「複合遺産」です。

文化遺産は全体の77・7%を占めている一方で、自然遺産は18・9%、複合遺産は3・4%しかありません。オーストラリアの「ウルル、カタ・ジュタ国立公園」やニュージーランドの「トンガリロ国立公園」のように、初めは自然遺産として登録されていたものに、後から文化的価値が追加されて複合遺産になったものもあります。

文化遺産の「ネムルト・ダーの巨大墳墓」　©f28production

複合遺産の「ウルル、カタ・ジュタ国立公園」

一筋縄ではいかない世界遺産の分類……富士山は自然遺産？

世界遺産の分類はこのように3つに分けられているのですが、「自然環境だから自然遺産」とはすんなりいかないところに世界遺産の面白さがあります。例えば、富士山。日本を代表する日本最高峰の山ですが、これは自然遺産ではなく文化遺産なのです。

富士山は比較的に新しい山です。日本列島が弧状列島の形になり始めたのが約500万年前で、現在の日本列島に近い形となったのが約2万年前です。その頃はまだ、新富士火山はありませんでした。その後、現在も活動を続ける新富士火山は、約1万1000年前から8000年前頃までに大噴火を繰り返し、現在見られるような富士山の姿になりました。つまり富士山は、縄文時代から弥生時代にかけて、人々が見守る前で噴火を繰り返して形成されてきたのです。

このように富士山は新しい山であるために、高山植物が比較的に少ないという

文化遺産の「富士山ー信仰の対象と芸術の源泉」

特徴があります。なぜなら、日本の高山動植物は約2万年前以前に大陸から移ってきた動植物の子孫なので、大陸から分かれた後に富士山ができたことや、その後も噴火が続いたために高山植物が生育しにくかったからです。渓流や沼がないというのも生態系に影響していると考えられます。

また、富士山のように噴火を繰り返すことで形成された火山は、成層火山と呼ばれるのですが、成層火山はタンザニアの「キリマンジャロ国立公園」やロシアの「カムチャツカ火山群」など、世界の多くの火山地帯で見られます。富士山のような姿の火山は、火山地形としては珍しくないと言えます。

そのため富士山を世界遺産にしようとした時に、成層火山の地理的な価値では既に世界遺産登録されている山があり、また生態系の価値でも飛びぬけた稀少性がなかったために、自然遺産としての登録は困難でした。

一方で、日本人と富士山のつながりで考えると、富士山が日本の文化に大きな影響を与えてきたことがわかります。古くは、富士山の噴火は797年に完成した『続日本紀《しょくにほんぎ》』に記されています。富士山は大噴火をする山として恐れられていたため、平城天皇は坂上田村麻呂に富士山の噴火を鎮めるように命じ、富士山により近い遥拝所の山宮浅間《やまみやせんげん》神社から分祀する形で、806年に浅間大神《あさまのおおかみ》(木花之佐久夜毘売命《このはなさくやひめのみこと》)を祀る富士山本宮浅間大社の前身の神社が創建されました。現在の富士山本宮浅間大社の社殿は徳川家康が1604年に築いたもので、1606年には富士山そのものも徳川家康から富士山本宮浅間大社に寄進されて

「カムチャツカ火山群」のコリャークスカヤ山

います。

この木花之佐久夜毘売命は、今で言うところの浮気の疑いを晴らすために、「天津神《あまつかみ》（高天原から天下った神）の本当の子であるなら、どんなことがあっても無事に出産できる！」と言って自ら産屋に火を放ち、燃え盛る小屋の中で3人の子を出産したすごい女神です。この時、木花之佐久夜毘売命が産んだ3柱の神の中の、山幸彦として知られる火遠理命《ほおりのみこと》の孫が、初代天皇の神武天皇とされています。噴火を繰り返す富士山の、烈しくも凛として美しい姿に、人々は木花之佐久夜毘売命の姿を見出したのでしょうね。

その後は、ご神体である富士山そのものに登りながら祈る「登拝《とはい》」が行われ、江戸時代には「富士講」と呼ばれる富士山岳信仰の基盤となる組織が形成されたほか、『万葉集』や『竹取物語』『冨岳三十六景』をはじめ、日本の文学や絵画にも取り上げられるなど、日本人の文化に深く根付いてきました。そのため、日本人の文化や信仰に大きな影響が与えられた点が価値として強調され、富士山そのものだけでなく、周囲の湖や滝、神社、遠く離れた三保松原などと共に文化遺産として世界遺産に登録されました。因みに、世界遺産としての「富士山」の構成資産には、お寺が1つも入っていないのも面白い点です。

このように自然が文化遺産として登録されているものは、アメリカが核実験を行ったマーシャル諸島の美しい環礁「ビキニ環礁」や「厳島神社」の背後にそびえる弥山など、世界でも多くあります。また、人間が自然に手を加えたり、自然環境などから影響を受けながら独自の文化を築き上げた「人間と自然の共同作

冨岳三十六景（神奈川沖浪裏）

文化的景観の「オルチア渓谷」

品」ともいえるような文化的景観も、イタリアの「オルチア渓谷」や「紀伊山地の霊場と参詣道」など多く登録されています。この文化的景観は、カテゴリーとしては文化遺産に含まれますが、まさに自然と文化を切り分けることができないものとして守る世界遺産の理念に沿ったものだと言えます。

世界遺産リストから削除された遺産

世界遺産リストに一度記載されると、それは不変なのかというと、そうではありません。世界遺産リストに記載された遺産が「顕著な普遍的価値」が損なわれたと判断された場合、世界遺産リストから削除されます。

現在、削除された遺産は3件あります。初めて世界遺産リストから削除されたのは、オマーンの「アラビアオリックスの保護地区」です。オマーン政府はアラビアオリックスを保護するために保護地区を設定しましたが、石油や天然ガスの開発を優先して保護地区を9割削減したため、顕著な普遍的価値が損なわれたとして、２００７年に世界遺産リストから削除されました。

この時の世界遺産委員会では議論が紛糾しました。世界遺産条約では、リストから削除されるような状況を想定していなかったためです。「アラビアオリックスの保護地区」がリストから削除されたことは、世界遺産活動の1つの挫折でもありました。

次に削除されたのがドイツの「ドレスデン・エルベ渓谷」です。こちらは、住民の生活の利便性を上げるためにエルベ川に新しい橋を建設する計画が文化的景観を損なうとして、危機遺産リストに記載されていました。ドレスデン市では、住民投票で橋の建設への賛成が多数を占めたため、建設が始められ、２００９年に世界遺産リストから削除されました。同じ頃、ドイツの「ケルンの大聖堂」の周辺の開発問題などもあり、住民の生活の利便性や質の向上と、世界遺産としての保護・保全の両立の難しさが議論されるようになります。

その後しばらくは、都市開発の観点からオーストリアの「ウィーンの歴史地区」などが危機遺産リストに入ることはあっても、世界遺産リストから削除される遺産はなかったのですが、2021年の世界遺産委員会で、3件目の削除される遺産が出てしまいました。それが英国の「リヴァプール海商都市」です。

「リヴァプール海商都市」は、ウォーター・フロント開発計画による景観悪化などの理由で2012年の世界遺産委員会で危機遺産リストに記載されて以来、毎年のように世界遺産委員会で状況報告を受けた審議が行われていました。しかし、歴史的景観に配慮したデザインに変更されはしたものの開発が進められ、世界遺産委員会が求めていた顕著な普遍的価値や真正性、完全性の保護がなされなかっただけでなく、世界遺産の周囲のバッファー・ゾーンでの開発や、世界遺産登録エリアのブラムリー・ムーア・ドックにおける新たなサッカー・スタジアムの建設計画が動き出したことで、2021年の世界遺産委員会でリストから削除されてしまいました。

ケルン大聖堂

遺産を邪魔するように新しい建造物が建てられたリヴァプール

世界遺産リストから削除されない遺産

一方で、火災などで遺産そのものが焼失してしまった場合はどうでしょうか。

2019年10月31日、沖縄の「琉球王国のグスク及び関連遺産群」に含まれる首里城正殿が火災により焼失してしまいました。首里城正殿は跡形もなく焼失してしまっており、顕著な普遍的価値も損なわれてしまったようにも感じます。

首里城はこれまで何度も焼失と再建を繰り返してきました。今回焼失した首里城正殿は、第二次世界大戦の沖縄戦で焼失し、1992年に復元されたものです。しかし、正殿は再建されたものだからまた再建すればいいじゃん、という簡単な話ではないのです。第二次世界大戦で沖縄県の人々が受けた被害と悲劇はここで言うまでもありませんが、その沖縄戦から沖縄の人々が立ち上がり、自分たちのアイデンティティと歴史、文化を取り戻したシンボルが、あの首里城でした。

1970年に「戦災文化財」として首里城の復元が提案されます。1972年に沖縄が日本に返還されると、1986年には沖縄復帰記念事業で首里城跡地を「国営沖縄記念公園首里城地区」として整備していくことが決まりました。そこからの復元作業が本当に大変でした。

沖縄戦で多くの資料が失われてしまっていただけでなく、沖縄戦で焼失した18世紀初頭の正殿建設に携わった人も当然いなかったので、様々な調査や研究、議論が行われました。瓦屋根の色や形、素材、建物の向きなど、同じ時代の中国に残る

焼失前の首里城正殿

資料なども参考にしながら検討され再建されました。屋根の瓦の色を検討するために、火加減や土の配分などを工夫し、カラーチャートのように細かな色分けをして検討した当時の映像が資料として残っています。首里城正殿の復元は、単なる文化財の再建を越えて、沖縄の人々が自分たちの誇りを取り戻す作業だったのです。

このような重要な背景を持つ首里城正殿ですが、今回の焼失で世界遺産リストから削除されることも、危機遺産リストに記載されることもありませんでした。なぜなら、首里城正殿は、都市計画法に基づく「首里城公園」として保護を受ける世界遺産登録範囲に含まれていますが、「琉球王国のグスク及び関連遺産群」が持つ顕著な普遍的価値を構成する重要な要素は、正殿の地下にあるかつての基壇の遺構と周囲の城壁の一部だけで、再建された正殿は含まれていなかったからです。

そのため、再建された正殿などの焼失は、危機遺産リスト記載の条件である

「顕著な普遍的価値が危機に直面している」という状況ではないので、危機遺産リストに入ることはなく、もちろん世界遺産リストから削除されることもありませんでした。

同じように、フランスの「パリのセーヌ河岸」に含まれるノートル・ダム大聖堂が、2019年4月16日に火災で尖塔や屋根の大部分が焼失しました。

ノートル・ダム大聖堂は、1163年に教皇アレクサンドル3世が礎石を置いたところから歴史が始まります。正面の2つの塔が完成するのはそこから100年近く経った1250年です。その後も建設が進められ、尖塔が作られたのが15世紀半ばのこと。この頃はルネサンス期だったので、その前の時代のゴシック建築は野蛮なデザインと考えられていて、ゴシックの要素が取り除かれたりしました。

そして、1789年に始まったフランス革命では既存の権威や概念が否定され、ノートル・ダム大聖堂も破壊されてしまいます。聖遺物は盗まれ、王や聖人の像などは多くが首をはねられてしまいました。この時、尖塔も崩れ去っています。

ノートル・ダム大聖堂の火災　©www.alaincianci.com

ナポレオンが皇帝として戴冠式を行った時には仮の修復が行われたような状態でした。その後はノートル・ダム大聖堂の撤去も検討されるほど荒廃してしまいます。

その荒廃したノートル・ダム大聖堂を再評価するきっかけになったのが、ヴィクトル・ユーゴーの小説「パリのノートル・ダム」です。ディズニーの映画『ノートルダムの鐘』の原作となった作品です。その世論の高まりを受けて、1845年からノートル・ダム大聖堂の修復が始まりました。この一大プロジェクトを任されたのが、ヴィオレ・ル・デュクです。「カルカッソンヌの歴史的城塞都市」の修復も手がけた中世建築の専門家でした。

しかし彼の修復には問題がありました。ヴィオレ・ル・デュクは修復の際に、もともとの時代の歴史的・芸術的な価値を元通りに取り戻すことを目指しており、その建築様式の構造的にあるべきものが失われていた場合それを付け加えたり、逆に余計だと考えられるものを取り去ったりしたのです。更に、ノートル・ダム大聖堂の修復に際しては、フランス革命で辛酸をなめたカトリック教会が、もう一度権威を取り戻したいという思いもありました。そのため、フランス革命で失われた尖塔がより高くなって再び取り付けられ、ガーゴイル（シメール）や元はなかった銅像、装飾などが付け加えられました。

今回の火災では、その時に再建された屋根や尖塔が焼け落ちてしまいました。しかし、基本的には大聖堂全体としての構造が残されており、13世紀に作られた

2つの正面の塔も残されているので、再建する屋根のデザインに変更があったとしても「真正性」に大きな問題はないと思います。

世界遺産として考えるなら、「パリのセーヌ河岸」の価値は、都市計画とスカイラインの整った歴史的景観、都市全体の歴史的価値ですので、景観を破壊するような再建をしない限り、ノートル・ダム大聖堂単体での真正性が、世界遺産の価値に影響を与えることはありません。だからと言って、ガラスのピラミッドを屋根の上に載せたりするのは、ノート

ルーヴル美術館前のピラミッド

ル・ダム大聖堂が持つフランス国民にとっての重要性を考えるとできないでしょう。ルーヴル美術館の前に、ガラスのピラミッドを作るのとは意味が違うのですから。

このように、それぞれの世界遺産でどこに顕著な普遍的価値が認められているのかをよく知っておくと、世界遺産関連のニュースを見る時や、実際に訪れた時などにも理解しやすくなると思います。

第3章

世界遺産といえばここ！

神々に美を捧げた「アテネのアクロポリス」

ユネスコのエンブレムを見たことがある人は多いと思います。このエンブレムはある世界遺産をモチーフにしています。古代ギリシャの女神アテナを祀るパルテノン神殿です。パルテノン神殿の柱の部分が「UNESCO」の文字になっていることがおわかりいただけるでしょうか。

女神アテナは、ギリシャ神話の最高神であるゼウスの頭をかち割って生まれてきました。なぜそんなところから生まれてきたのかと言うと、「生まれてくる息子が、神々の支配者としての座を奪うだろう」との予言を恐れたゼウスが、我が子が生まれないように身ごもった妻ごと飲み込んでしまったからです。しかし、ゼウスの体の中で子供は成長し、激しい頭痛に悩まされたゼウスの頭を割って、アテナが誕生しました。恐れていた息子ではなく娘だったため、ゼウスは支配者の座を奪われることなく、最高神であり続けました。

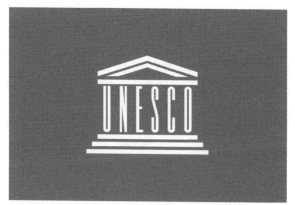

ユネスコエンブレム

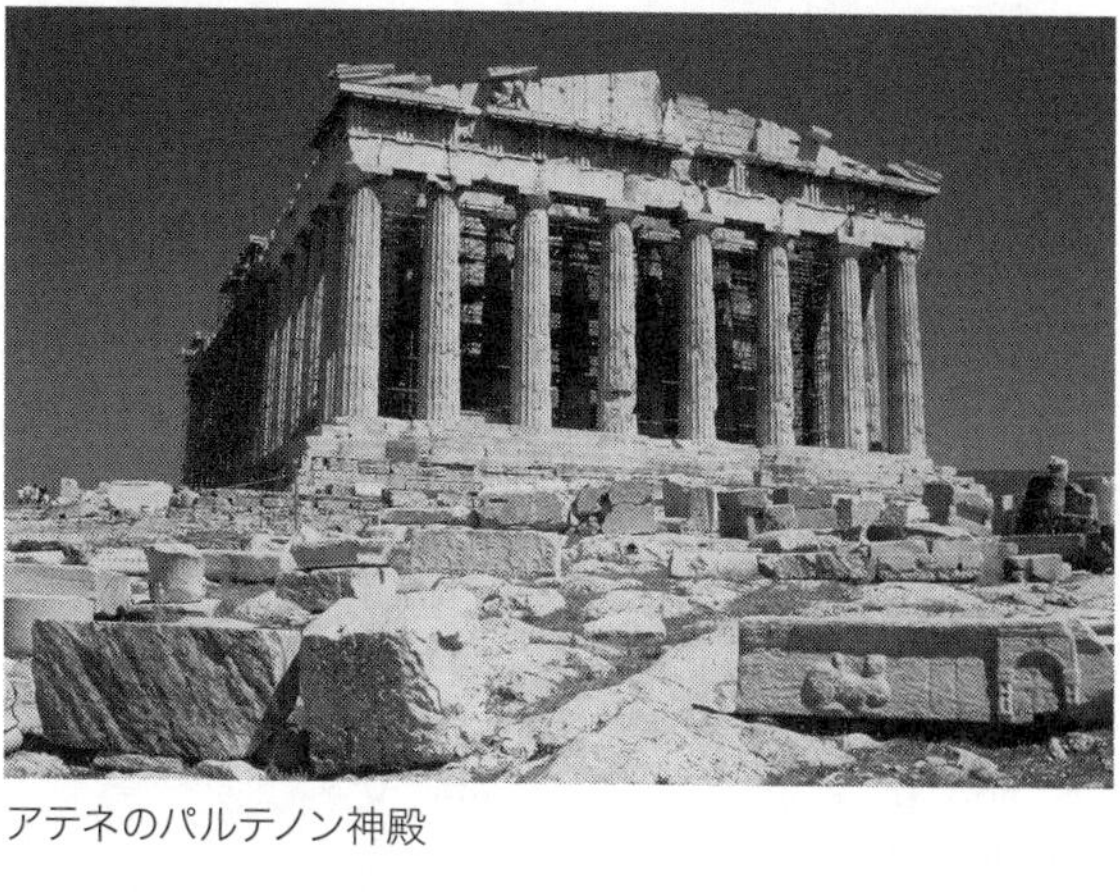

アテネのパルテノン神殿

そうして生まれたアテナは、知恵や芸術を司ることに加えて、平和のシンボルであるオリーブを象徴しています。そのため、女神アテナを祀るパルテノン神殿が、国際協力を通した世界平和や人類の福祉の促進を目的とするユネスコのエンブレムのモチーフに選ばれました。

実は、女神アテナがパルテノン神殿に祀られることになった理由も神話で説明されています。ギリシャ神話によると、この地方の守護神の座をめぐって海の神ポセイドンと女神アテナが争っていました。そこで、市民に喜ばれる贈り物をした方が守護神の座につくことになり、ポセイドンは、夏の暑いこの地方の人々に喉を潤してもらおうと、三叉の矛で岩を打ち海水の泉を湧き出させます。

一方のアテナは、鋭い陽射しをさえぎるように、大地に杖を突いてオリーブの樹を芽生えさせました。人々は飲むことのできない海水（塩水）の泉よりも、実を食用に使え、陽射しの厳しい夏には木陰で休むこともできるオリーブの樹を選び、アテナが守護神となったのです。

そのため、女神アテナにパルテノン神殿が捧げられました。アテネという地名も、女神アテナに由来しています。因みに、この時アテナが芽生えさせたというオリーブの樹が、今もアテネのアクロポリスには残されています。ポセイドンが湧き出させた泉の跡も。それにしても、ポセイドンは不器用な神様ですね。

平野が少なく複雑な海岸線が続くギリシャでは、紀元前20世紀頃からイオニア人やアイオリス人、ドーリア人など方言が違う人々が分かれて暮らしていました。前750年頃になると、それぞれのギリシャ人がアクロポリス（神殿などのある小高い丘）とアゴラ（アクロポリスの下にある広場）を中心にポリス（都市国家）を形成し、多くのポリスが互いに競い合うようになります。そのポリスの1つが、アテネでした。アテネのアクロポリスの麓には街が作られ、アクロポリスの上には女神アテナの神殿などが建設されて、聖域が整えられていきました。

紀元前500年頃のペルシア戦争の際に、クセルクセス1世率いるアケメネス朝ペルシア軍に侵略され聖域は焼失してしまいますが、その後のマラトンの戦いやサラミスの海戦で勝利を収め、ペルシアに対抗するデロス同盟の盟主として繁栄します。このペルシア戦争の勝利を祝って女神アテナに捧げられた神殿がパルテノン神殿でした。大彫刻家フェイディアスを総監督に、10年もの歳月をかけて完成しました。

この神殿にはギリシャ人の美意識が詰め込まれています。ヨーロッパ人が最も美しいと考える比率である黄金比が神殿の各所に用いられた他、柱に見た目の安定感を与えるエンタシスや、中心から端にいくにつれて間隔が狭くなる円柱、美しさのあまりイギリスの外交官が国にもち帰ってしまったペディメント（屋根の一部の飾り）のレリーフなど、神に美を捧げたギリシャ人の文化が伝わってきます。

そうした美意識は、パルテノン神殿と向かい合って立つエレクテイオン神殿でも見られます。屋根を頭で支える乙女の姿をしたエレクテイオン神殿の6本の柱はカリアティードと呼ばれ、神に仕える巫女の姿なんだそうです。黄金比につい

エレクテイオン神殿のカリアティード

ては偶然の側面も大きいですが、それも美しさを追求していった結果とも言えます。女神に美を捧げるなんて素敵じゃないですか。

一方で、パルテノン神殿には古代ギリシャの輝かしい歴史だけではなく、その後のギリシャの様々な「影」の側面が刻み込まれています。

6世紀にはキリスト教の聖堂に改変され、オスマン帝国によって占領された15世紀には、イスラム教のモスクとして改築されました。そして、ヴェネツィア共和国とオスマン帝国の戦争の中ではヴェネツィア軍の砲撃によって大きな被害を受け、まさに「廃墟」となりました。その後、英国のエルギン伯が神殿から美しい彫刻やレリーフを切り出し、英国に持ち帰ってしまいます。「エルギン・マーブル」と呼ばれるこれらの彫刻は、現在もギリシャに返還されることなく、英国の大英博物館に展示されています。

こうした歴史を見てくると、パルテノン神殿などのアテネの神殿群は、人類の歴史の「負の側面」もよく表しています。そもそも古代ギリシャの民主制は奴隷労働に支えられていたわけですし、現在でも美を独占しようとする人々の傲慢さによって危機に直面しているとも言えます。

以前、ナチス・ドイツがオーストリアの実業家から接収したグスタフ・クリムト作の絵画「アデーレ・ブロッホ・バウアーの肖像Ⅰ」が、オーストリアの世界遺産のベルヴェデーレ宮殿内にあるオーストリア・ギャラリーに展示されていましたが、長い裁判の結果、アメリカに亡命していた親族の手元に２００６年に戻ったというニュースがありました。

　また2021年11月には、フランスが植民地時代に、西アフリカのベナンにあった「アボメーの王宮」から奪った文化財を返還するというニュースもありました。こうした例を出すまでもなく、私はエルギン・マーブルはギリシャに返還すべきだと思っています。ギリ

クリムト「アデーレ・ブロッホ・バウアーの肖像I」

シャで生まれた芸術や建築などは、やはりギリシャにあるべきだと思うのです。

最近、世界遺産の活動の中で重視されている、「世界遺産から受ける恩恵は、その地域の人々すべてが受けられなくてはならない」という考え方とも関係しています。美術品を観るために観光客が支払うお金は、その美術品の本来の持ち主の元に行くべきです。そうして返還していくと、大英博物館から展示品のほとんどが無くなってしまうかもしれませんが。

歴史ロマンの代表格「メンフィスのピラミッド地帯」

第2章で取り上げた、アスワン・ハイ・ダムの建設から遺産を保護する活動が世界遺産の理念誕生につながったアブ・シンベル神殿やフィラエのイシス神殿は、エジプトの世界遺産「ヌビアの遺跡群：アブ・シンベルからフィラエまで」として登録されています。

フィラエのイシス神殿

これらの遺産は、ナイル川上流、地図ではエジプトの南部にあるヌビア地方の遺跡です。代表的な遺跡であるアブ・シンベル神殿は、新王国時代（紀元前16世紀頃～）第19王朝のファラオ（王）であるラメセス2世が築きました。ラメセス2世は、カルナック神殿など自らを讃える多くの建造物を築きましたが、ナイル川に面した岩山を掘り抜いて築いたアブ・シンベル神殿では、入り口に4体の巨大な自分自身の像を並べただけでなく、神殿内部に太陽神ラー・ホルアクティと国家神アメン・ラー、そしてメンフィスの守護神プタハと並んで自分自身の像を造りました。自身を神々と同列に扱ったのです。

また、近くには王妃ネフェルタリのために小神殿が築かれ、その入り口にも2体のネフェルタリを挟んで、4体のラメセス2世像が彫られました。王妃のための神殿でありながら、自分の像の方が数が多いなんて、自分が大好きなラメセス2世らしいですね。

古代エジプトでは、来世と復活を信じて死者をミイラにして葬る習慣がありましたが、ラメセス2世のものとされるミイラも1881年に発見されました。ラメセス2世は強靭な肉体を持ち武勇を誇るファラオであったと伝えられており、発見されたミイラも当時のエジプト人の平均身長よりも20㎝ほど大きい、183㎝もありました。そのラメセス2世のミイラが真菌感染症の予防のためにパリに向かった時、ファラオに敬意を表するエジプト政府からパスポートが発行され、職業欄には「ファラオ」と記載されたそうです。

そのラメセス２世から更に１３００年ほど前に築かれたのが、世界遺産を代表する遺産の１つ「メンフィスのピラミッド地帯」です。あのギザの３大ピラミッドで有名な遺産です。

１３００年も前というと、現在の日本で考えると、私たちが奈良時代に築かれた奈良の大仏を見ているような感じ。「古代エジプト」として一括りにしてしまいそうですが、ラメセス２世から見ても、３大ピラミッドは大昔に築かれた「遺跡」だったのだと思います。

多くのピラミッドが築かれているメン

ギザの3大ピラミッド

フィスは、ナイル川の下流、エジプトの首都カイロの南西岸に広がる地域です。この地域には、古代エジプト古王国時代、統一後初めて都が置かれました。周辺では10世紀近くの間、多くのピラミッドが作られました。特に、3大ピラミッドで有名なギザからダハシュールに至る約30㎞の地域には、ピラミッドや古代エジプトの建造物など多くの遺跡が残されています。ピラミッドは神であるファラオの権力の証でもありました。

雄大なナイル川の周辺に広がる古代エジプトの文明は、ギリシャの歴史家ヘロドトスの「エジプトはナイルの賜物」という言葉でも有名ですが、ナイル川は毎年7~10月頃に洪水を引き起こし、上流から柔らかく養分を多く含んだ肥沃な土壌を運んできました。こうした肥沃な地域に集まって住むようになった人々をまとめ上げた強力な指導者がファラオです。ファラオは、エジプトの多神教の中心である太陽神ラーの子とされ、政治的にも宗教的にも絶対的な権力をもっていました。

紀元前2600年頃～前2100年頃の古王国時代に、ファラオの権力の証としてピラミッドが作られるようになります。初めてピラミッドを建造させたのは古王国時代第3王朝のジェセル王です。それまで日干しレンガなどを使った「マスタバ」と呼ばれる角形の墳墓が作られていましたが、ジェセル王にこれまでとは違う墓を作るように命じられた宰相のイムホテプが、悩んだ末に「不滅の建材」である石とレンガを積み上げて、史上初の階段ピラミッドを完成させました。それ以降、日本では縄文時代に当たる時代に、エジプトでは歴代のファラオたちが自身の力を誇示するように、大きなピラミッドを建造していったのです。

中でも最大のピラミッドは、3大ピラミッドの1つの「クフ王のピラミッド」です。建造時には高さが150mもあり、平均2・6tの石が約230万個も使われたと考えられています。現在は階段状になっていますが、作られたときには石灰岩の化粧石で表面を平らに整えていたので、遠くからも太陽を反射して光り輝く四角錐の構造物だったようです。想像するだけでもすごいインパクトです。

ピラミッドの石

クフ王のピラミッドの内部には、「王の間」や「女王の間」と呼ばれる部屋や、「大回廊」と呼ばれる通路などが発見されています。入口を入り、大人が腰をかがめないと通ることのできない狭い上昇通路を登ると、高さ8m以上もある「大回廊」に出ます。その先にあるのが蓋のない石棺の置かれた「王の間」です。9世紀初頭に「王の間」が発見された時には、すでにミイラも装飾も埋葬品もなく、ただ石棺だけが残されていました。

また「王の間」と、「大回廊」の手前から別の通路でつながる「女王の間」からはそれぞれ外部へ通じる通気孔（シャフト）が発見されていますが、「女王の間」から延びる通気孔は外まで通じておらず、途中で青銅の取っ手のついた石で閉じられていました。その他にも未完成の地下室や通路などが発見されており、ピラミッドが何のために作られたものであるのか謎は深まるばかりです。近年では、ピラミッドが単独で墳墓だったのではなく、葬祭儀式のための建造物群の一部であったのではないかと考えられています。

かつてこの3大ピラミッドは、「世界の七不思議」に数えられていましたが、今でも多くの人を惹きつける遺産であり続けていますね。

開発から遺跡を守った「北海道・北東北の縄文遺跡群」

第2章では、世界遺産の歴史は遺産の保護の歴史であることを見てきました。そうした歴史から考えると、京都や奈良よりももっと世界遺産らしい遺産と言えるかもしれないのが２０２1年に世界遺産登録された「北海道・北東北の縄文遺跡群」です。

「北海道・北東北の縄文遺跡群」は、北海道と青森県、秋田県、岩手県に点在する17の縄文遺跡で構成されており、紀元前1万３０００年頃から前４００年頃の日本で、人々が採集や漁労、狩猟を行いながら定住した縄文時代の集落や生活、精神文化などを証明しています。先ほどの古代エジプト時代とも重なる時代です。

「縄文時代」と聞くと、日本全国で共通する狩猟・採集文化があるようなイメージを持ちやすいですが、実際の縄文時代の文化は、一括りにするのは憚られるほど多様でした。それを大きく西日本と東日本の縄文時代の文化に分けた東日本の中でも、大規模で共通の文化圏を持っていた「北海道・北東北」は保存状態もよく、拠点集落などを含む定住生活という価値を示しやすいエリアでした。

現在の日本で、国の特別史跡は63件ありますが、縄文時代の遺跡は４つしかありません。そのうちの2件である青森県の「三内丸山遺跡」と秋田県の「大湯環

三内丸山遺跡

状列石」がこの文化圏に含まれていることも、数多くの日本の縄文遺跡の中で北海道・北東北だけが世界遺産登録された理由でもあります。世界遺産に登録するためには、遺跡が残されており、法的にも保護されている必要があるからです。
　北海道・北東北に定住した縄文人のルーツは1つではなく、南方から歩いてきた人々もいれば、北伝いに大陸から渡ってきた人々もいました。彼らが移動してきたきっかけは、氷河時代と呼ばれる時代が終わって気候が穏やかになり、南の方にもいたヘラジカやオオツノシカなどの狩りの対象が寒い北に移動したことや、海面上昇による浸水で海岸線が内陸に移動する縄文海進によって拠点を変えざるを得なかったことなどが考えられます。そうして移動してきた人々が、津軽海峡でサケやマスなどの豊富な海洋生物に出会います。

北海道と北東北の間にある津軽海峡は、暖流と寒流が交差する豊かな漁場でした。ここはサケやマスが大量に獲れるのですが、獲れる季節が限定されます。特定の季節にのみ爆発的に出現する食料を協力して効率よく獲るためには大きな労働力が必要で、そのために三内丸山遺跡のような大きな集落が形成されました。

また、春先や秋口の森林資源でも同じで、木の実や山菜などを処理するためには短い期間を有効に利用して食料を確保しなければならず、大きな社会組織が必要になったのだと思います。気候が穏やかで一年中食料がある西日本で大規模な集落が作られなかったのと、その点が違うと考えられています。

こうした縄文遺跡が残されているのは奇跡的なことです。縄文時代以降、日本には長い歴史があり、必ずしも居住可能な場所が広いとは言えない日本列島の中で、様々な文化が営まれてきたからです。多くの縄文遺跡は、放置されて崩れるか、取り壊されて上に別の構造物が作られるか、または長い年月の間に地中に埋もれていきました。「北海道・北東北の縄文遺跡群」として登録された縄文遺跡の多くは、地中から発見されました。

現在、地中を深く掘り起こす大きな理由が開発です。大規模建設や道路敷設などの時に、事前調査で地下が調べられ、その際に縄文遺跡などが発掘されます。多くの場合、縄文遺跡などが発掘されても、地元の教育委員会などによって記録だけが取られてそのまま工事が進められるか、もう少し貴重な遺跡であれば近くの公園などに一部が移設されて保存されることになります。

当然、こうした記録や移設保存は、遺跡を本来の姿で保存しているとは言えないでしょう。大規模開発やバイパス・高速道路の敷設は、人々の生活の質や利便性の向上につながるものですので、もちろん悪いわけではありませんが、遺跡の保護から考えると最大の危機の1つになっています。

「北海道・北東北の縄文遺跡群」には、そうした開発をストップしたり変更したりして守られた遺跡が多くあります。三内丸山遺跡は、県営野球場建設の事前調査で縄文時代の大規模建造物の柱跡が発見されて建設計画が中止になり調査・保護されることになったし、大湯環状列石は耕地整理の時に発見され調査・保護されることになりました。どちらも既に動き出していた開発を止める決断をした勇気に頭が下がります。動き出した開発は止まらないことが多いのですから。

開発が止まり保護されたことがよくわかるのが、秋田県の伊勢《いせ》堂岱《どうたい》遺跡です。伊勢堂岱遺跡は、すぐ近くに大館能代空港があるため、空港へアクセスするための県道の建設が進められていました。その過程で環状列石が発見されます。環状列石とは、川原石を円形に配置したもので、「ストーン・サークル」という呼び名の方が馴染みがあるでしょうか。

当初は、調査後に埋め戻して道路建設を進める予定でしたが、環状列石の周囲に掘立柱建物の柱穴が見つかり、その建物の向きから他にも環状列石があることがわかったため、工事をストップして調査を続けることが決まりました。そうして、これまでに例のない4つもの環状列石が並ぶ伊勢堂岱遺跡の姿が明らかになりました。

そのため遺跡のほんの数十mのところまで来ていた道路建設は中止され、遺跡をくるりと迂回するように計画が変更されました。伊勢堂岱遺跡のすぐ脇には、建設途中の道路の橋脚が残されています。車を運転する人には突然曲がる県道

伊勢堂岱遺跡の近くに残る作りかけの橋脚

は少し不便かもしれませんが、その不便さを上回る驚きや感動が伊勢堂岱遺跡にはあると思います。秋田県はまた、遺跡のすぐ下を通る高速道路建設でも、遺跡の近くでは掘り下げられて遺跡からは道路や車が見えないようにするなど、遺跡の景観保護に気を遣っています。

伊勢堂岱遺跡は大湯環状列石とほとんど同じ時期に作られた環状列石で、三内丸山遺跡よりも後の時代の縄文後期に作られました。この辺りは海から遠く、雪も多い厳しい環境であり、三内丸山遺跡のような大規模集落もありません。なぜこの地に縄文人が環状列石を築いたのかはいろいろと理由があるのでしょうが、実際に伊勢堂岱遺跡を訪れてみるとこの地を選んだ理由がわかる気がします。

伊勢堂岱遺跡は、平地に舌のような形で突き出した舌状《ぜつじょう》台地の上に4つの環状列石が残されているのですが、4つとも台地北西部の狭い範囲に集中しています。その北西部から見えるのは、とても見晴らしの良い平地の先にそびえる白神山地です。伊勢堂岱遺跡を作った縄文人たちも、白神山地をはじめとする周囲の自然環境への畏敬の念から、この場所に環状列石を築いたと考えるのに十分な眺めです。恐らく縄文人たちも、今とほとんど変わらない景色を眺めていたのではないでしょうか。秋田県がこの眺めを保護してくれて本当によかったです。本来であれば、伊勢堂岱遺跡と白神山地の間に高速道路が見えていたはずだったのですから。

実際に伊勢堂岱遺跡や大湯環状列石を訪れて感じるのは、環状列石を築いた縄文人たちの精神文化の成熟ぶりです。発掘された土偶や土製品などを見ていると、彼らが生きるのに精いっぱいでガツガツしていたようには、どうしても思えません。むしろ、縄文人たちが毎日を楽しんでいた姿が見えてきます。

子供のおもちゃとしか思えない多くの「ミニチュア土器」や、いろいろなものを食べていただろうになぜかこれだけ大量に出土した「キノコ形土製品」、耳飾りや首飾り、表情豊かで様々な形の土偶など、本当に楽しそうです。また、縄文人にも手先が器用な人とそうでない人がいて、土偶の髪の毛を編んだように細か

伊勢堂岱遺跡出土板状土偶

く表現する人もいれば、手抜きで穴を2つだけ開けて髪の毛の表現にする人がいたり、人それぞれなんだそうです。そう思うと、今の私たちと同じように感じますよね。

　もしかしたら、環状列石ががたがたしていたり、輪が切れていたりするのだって、リーダーが「こういう風にきれいに石を並べて!」って言ったのに、完成してみたら「何でこんなことになっちゃってるの!?」ということだったのかもしれません。みんなで土偶を作っているときに、ひとりだけひたすらキノコを作っている人がいたりとか。

この時代は、グループ間の争いもほとんどなく、近くに火山帯もあり周囲よりは暖かくて、野生動物も多くクリなどの栽培のおかげで飢えることもない。そんな時代に、縄文人たちが山々や星を眺めて、土偶や土器を作って、祖先を埋葬して。きっと歌ったり踊ったりもしていたと思うんです。縄文後期の縄文人たちは、この自然とのつながりを感じる場所で、安定した生活を送りながら、ただ食べて生きるだけではない、より精神的に高度な段階に一歩を踏み出したように感じます。神の概念なんてまだなかったでしょうが、自然に対する畏怖や畏敬はあったはずです。

縄文遺跡にはまだまだ多くの謎が残されています。遺跡だってすべてが発掘されたわけではありません。伊勢堂岱遺跡ではあえて発掘せずに将来の研究のために残しているところもあるそうです。縄文遺跡の謎は、必ずしも答えが出ないのかもしれませんが、答えが出ない分、現地で直に肌や耳で感じて、目で見るという、言葉を超えた体験でしか得られないものがあります。約４０００年前の縄文人が置いた石が、レプリカではなく本物が、そのまま目の前にあるので、ぜひ実際に訪れて、いろいろなことを感じて想像を膨らませてきて欲しい遺産です。

入らなくてよい洞窟深くに入ったクロマニョン人
「ヴェゼール渓谷の装飾洞窟と先史遺跡」

ヴェゼール渓谷には、１４７の先史遺跡と25の装飾洞窟があります。装飾洞窟には、約2万年前にクロマニョン人が描いた生き生きとした動物たちの壁画が残されています。その中でも最も有名なのが「ラスコー洞窟」です。

ラスコーの洞窟の壁画は、１９４０年9月、ウサギを追いかける飼い犬に引かれた地元の少年たちによって偶然発見されました。暗い洞窟で、ほのかに揺れるロウソクの明かりによって浮かび上がる馬や野牛、鹿などを見た驚きは、全身が震えるようなものだったと思います。その月のうちに、神父であり先史時代芸術の研究者でもあるアンリ・ブルイユなどが洞窟に入って壁画をスケッチするなど、最初の調査が始まりました。

ラスコー洞窟では、岩肌の凹凸を利用して動物に立体感を出すほか、赤土や木炭、動物の血、樹液などを用いて色彩豊かに様々な動物たちが描かれています。クロマニョン人は、木の枝や動物の毛を使った筆や刷毛などを使って、動物の輪郭は筆、手足の部分は刷毛、体の部分は手でポンポンとはたくように色をつけるなど、描き方を使い分けています。

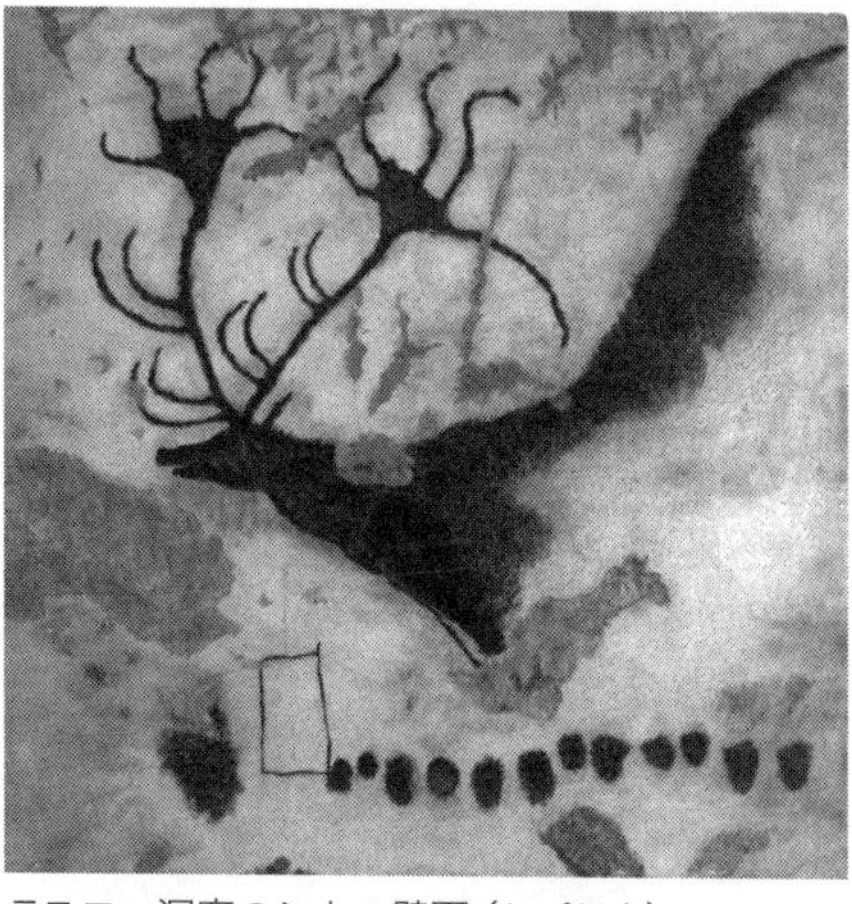

ラスコー洞窟のシカの壁画（レプリカ）

また、胴体を強調してデフォルメして描いているものが多いですが、手足も細部まで正確に描かれています。そのデフォルメの仕方も、現代人の目からすると本当に絶妙なバランスで芸術のように見えるのです。目の前にいるウシを描くのではなく、暗闇で想像して描いたからこそ、イマジネーションを最大に発揮してデフォルメして描けたのかもしれません。

クロマニョン人の壁画で面白いのが、動物は丁寧に観察して、細部まで描いているのに、たまに描かれる人間は適当にしか描かれていないことです。他にも、洞窟内からトナカイの骨はたくさん出てきているのに、トナカイの絵は1つしかないそうです。トナカイは絵を描きながら食べたり、その油を明かりに使ったりはしても、描く対象ではなかったようです。ウマやウシは強い思い入れがあるのかたくさん描いているのに。また、ラスコーの洞窟にはマンモスが描かれていないのですが、周囲の洞窟にはマンモスが描かれています。そして植物は描かれていません。クロマニョン人たちが何に関心を持って何のために壁画を描いていた

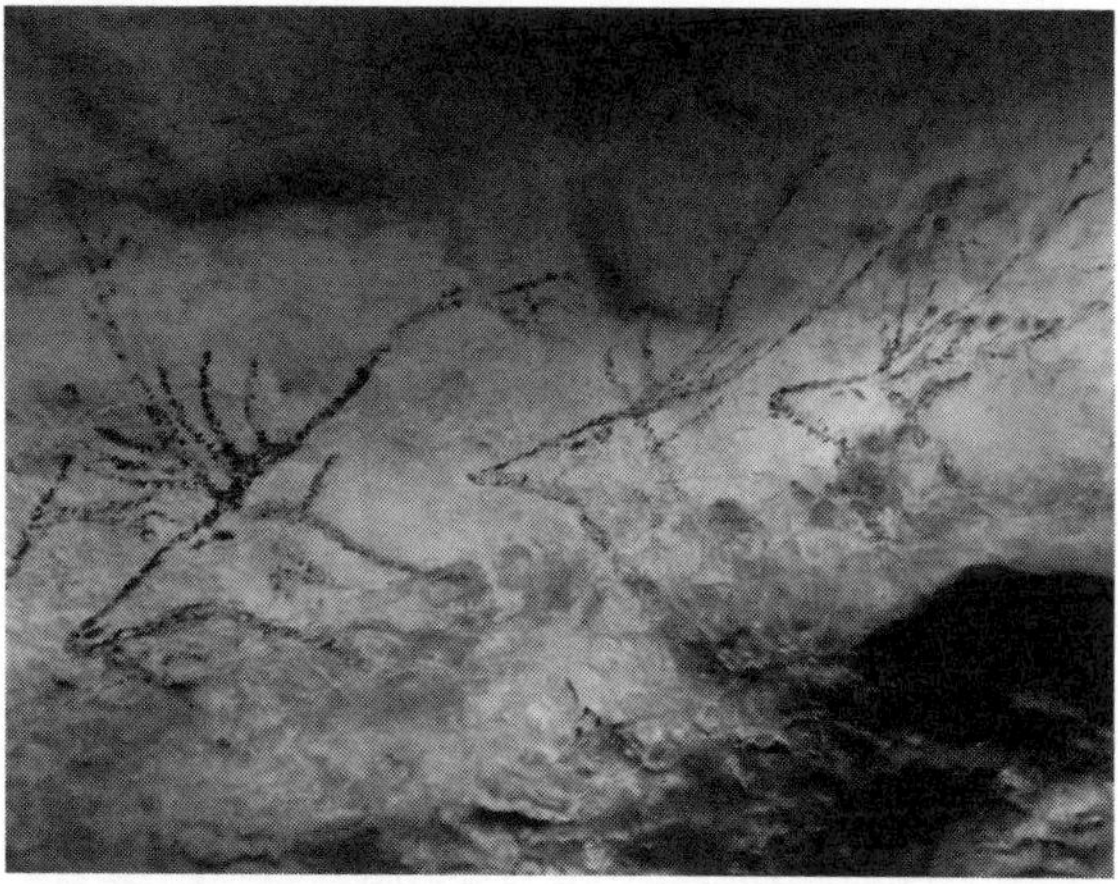

ラスコー洞窟の川を渡るシカの壁画（レプリカ）

のかは謎に包まれています。

ラスコー洞窟は全長約200mもあり、最も深いところにある「井戸状の空間」は、垂直に縄梯子などを使って5mも下らないといけない場所にあります。漆黒の暗闇の中を小さなランプの明かりだけを頼りに進み、そこに絵を描いたのはなぜだったのでしょうか。厳しい自然や動物などの脅威から身を守るためであれば、そんなにも奥深くに入り込む必要はありません。実際、ネアンデルタール人は外の明かりが入る洞窟の入り口近くまでしか入っていないと考えられています。

これがネアンデルタール人よりも現代人に近いクロマニョン人らしいところです。生きていくだけなら入る必要のない暗い洞窟の奥にまで入っていって壁画を描くなんてすごいことです。生命体として生きる上で最小限必要なことに加えて、何かしらの精神的な動機が、彼らを衝き動かす力になっていたのでしょう。ネアンデルタール人はクロマニョン人のような高度な壁画は残していません。

ラスコー洞窟の壁画には、絵の上に更に別の絵を重ねて描いたものが多くあります。「壁画を描く」ことが「誰かに何かを伝える」ということであれば、見づらくなるだけなので、重ねて描くことはしないはずです。恐らく彼らは、「描くこと、自らのイマジネーションを「表現する」ことに意味を見出していたと考えられます。何十kmも離れた場所まで顔料を取りに行き、動物の毛などで筆をつくり、暗い洞窟の中でランプに火を灯しながら巨大な壁画を描く。デフォルメされつつ細部まで表現された「黒い牝ウシ」や「褐色のバイソン」、シカやウマの群れなどからは、描いた理由はわからなくても、2万年も前に生きた彼らのイマジネーションの豊かさや強い思いが伝わってきます。私たちは科学技術が進歩して、様々なことを苦労せずにできるようになりましたが、何かをしたいという強い思い入れやイマジネーションは、クロマニョン人ほどはなくなってきているように感じます。

「原始人なのにすごい！」というのは誤った認識で、クロマニョン人がすごかったのでその次の文化があり、それが積み重なって、現在の私たちの目の前の世界になっています。もちろん、クロマニョン人だって突然ヨーロッパで進化したわけではなく、アフリカでホモ・サピエンスが進化した結果です。ラスコー洞窟の壁画を見ていると、人類の悠久の歩みにまで考えが膨らんで頭がクラクラしてしまいます。

ラスコー洞窟は、遺跡保護のために入ることができませんが、すぐ横に実物大で洞窟と壁画を再現したラスコーIIが作られた他、実物大の壁画を世界各地で移動展示できるラスコーⅢもあるので、ぜひどこかでラスコー洞窟に入ってみて下さい。

歩いてこその世界遺産
「サンティアゴ・デ・コンポステーラの巡礼路：カミノ・フランセスとスペイン北部の道」

世界遺産条約に加盟する国は、世界遺産の候補となる遺産をリストアップした「暫定リスト」を、ユネスコの世界遺産センターに提出しています。日本の暫定リストに最初から載っていながら、まだ世界遺産登録されていない遺産に「古都鎌倉の寺院・神社ほか」と「彦根城」があります。

「彦根城」は、世界遺産センターに送る推薦書を準備しており近々推薦される見込みです。一方の「古都鎌倉の寺院・神社ほか」は、2012年に「武家の古都・鎌倉」という名称で推薦書を提出したのですが、翌年に諮問機関のＩＣＯＭ

鎌倉の鶴岡八幡宮

OSから、世界遺産としての顕著な普遍的価値が認められないとして不登録勧告が出されてしまいました。その後、鎌倉市は新たなコンセプトを出すことが困難であるとして、世界遺産登録に向けた活動を2019年に休止すると発表しています。

鎌倉は、世界に対してアピールしやすい「サムライ」を前面に出し、その武士（サムライ）が初の武家政権をひらいた古都であることで世界遺産登録を目指していました。しかし、日本の社会システムが武家を中心とするものに変化した場所であるという点は、ＩＣＯＭＯＳの評価書でも評価されていたのですが、それが物質的・科学的に証明できないため、不登録勧告になっていました。三方を山に囲まれ、一方が海に向けて開かれた場所に、禅宗の寺院や交通路、港などを効果的に配置している点の「サムライ」とのつながりや魅力が伝わらなかったのです。

日本としては、その地域の持つ歴史性や物語、精神性を評価してもらいたいとの思いがありましたが、科学的な裏づけのないものは評価できないというＩＣＯＭＯＳの考え方を覆すことはできませんでした。これは世界遺産の考え方の根幹に関わる難しい問題です。

例えば、ヨーロッパなどで多く登録されている歴史地区を構成する街並みや教会、道などは、人間が作り上げた「モノ」です。世界遺産はそうした「モノ」を守り次世代に伝える営みです。しかし本当に大切なのは、「モノ」なのでしょうか。大切なのは「モノ」ではなく、それを作り上げた人々の思いや思想といった精神性のはずです。「モノ」そのものを切り取ったとしても、それ自体には意味がありません。

一方で、そうした精神性はどこまで一般化して共有し、科学的に証明できるのか、という反論が出てきます。科学的な証明はできないでしょう、と。ICOMOSはこの立場です。専門機関としては当然の立場です。科学的に証明しうるのは、そこにその遺産を作った人がいた、文化があったという存在の証明までに過ぎません。そこより踏み込んだ、本当の意味での遺産の価値というのは、実は世界遺産の営みでは評価ができていないのです。これは世界遺産条約にとって大きく重い課題です。サン・テグジュペリも書いていますが、本当に大切なものは目に見えないのです。

実は世界遺産の中には、「モノ」である遺産と精神性が深く結びついて価値となっている遺産があります。スペインの「サンティアゴ・デ・コンポステーラの巡礼路」です。

サンティアゴ・デ・コンポステーラに関する遺産は3つあります。大聖堂そのものが登録された「サンティアゴ・デ・コンポステーラ大聖堂」と、そこに向かうスペインの巡礼路の「サンティアゴ・デ・コンポステーラの巡礼路」、フランス国内の巡礼路である「フランスのサンティアゴ・デ・コンポステーラの巡礼路」です。そしてその中には、別の世界遺産として既に登録されているモン・サン・ミシェルやボルドー、ヴェズレーなども含まれています。それをすべて合わせると、ヨーロッパのキリスト教カトリックにとって、広い地域に広がる重要な意味を持つ遺産群になります。

イスラム教のウマイヤ朝に征服されていたイベリア半島を、半島の北部に残るキリスト教カトリックのアストゥリアス王国が取り戻そうと孤軍奮闘していた最中の814年、イエスの十二使徒の1人であるサンティアゴ（聖ヤコブ）の墓が発見されました。キリスト教世界での地位を高めてイベリア半島での領土拡大を目指していたアストゥリアス王国のアルフォンソ2世は、この発見を大きなチャ

サンティアゴ・デ・コンポステーラ大聖堂

ンスと捉え、王都オビエドから最初の巡礼者としてサンティアゴ・デ・コンポステーラを訪れ、自ら教会を建設します。そして王国に忠誠を誓った人々を住まわせて、王国の西の拠点となる街を作り上げました。

同じ頃、ゲルマン民族のフランク王国がカール大帝の強力な求心力の下で西ヨーロッパのほとんどを支配しており、キリスト教カトリックの教会勢力もフランク王国と結びついて勢力を広げていました。そうした西ヨーロッパ世界から見て、地の果てのようなイベリア半島の北西端の街から届いた聖人の墓発見の知らせは、大変センセーショナルなものでした。そのため、イベリア半島北部やフランス各地から多くの巡礼者がサンティアゴ・デ・コンポステーラを目指し、イベリア半島北部を東西に広がるアストゥリアス王国の領土と、ピレネー山脈を越えたフランス側のフランク王国の領土に巡礼路が作られていきました。これは「カミノ・フランセス（フランス人の道）」と、更に北部の海沿いを通る「スペイン北部の道」と呼ばれ、世界遺産に登録されています。

巡礼はその後も盛んに行われ、最盛期の12世紀には年間50万人もの巡礼者がサンティアゴ・デ・コンポステーラを目指したそうです。巡礼者には、王侯貴族や騎士、商人や職人などがおり、文化交流や情報交流の道でもありました。その頃には、ポルトガルのリスボンから続く「ポルトガルの道」や、イベリア半島南のセビーリャから続く「銀の道」、北西部のフェロールから続く「イギリス人の道」などもできていきました。

サンティアゴ・デ・コンポステーラの巡礼路

サンティアゴ・デ・コンポステーラの巡礼路は、メインルートである「フランス人の道」で738km、スペイン側全体では約1500kmもの長さがあります。世界遺産登録されている構成資産には、巡礼が盛んであった時代に建てられた教会や修道院、橋、病院、宿などが含まれていますが、中心はやはり巡礼路です。

　しかし巡礼路は、最初に書いた「精神性」を取ってしまうと、なんてことのないただの道です。整備すらほとんどされていません。巡礼路が世界遺産としての顕著な普遍的価値を持つのは、やはり巡礼路が現在も生きた精神性を持っており、鎌倉と違ってそれを証明する教会などの建物が残っているからです。キリスト教徒だけでなく、様々な目的や理由を持った人が、今も巡礼路を歩いて教会を訪れ、昔ながらの宿に泊まっているのです。生きた精神性とそれを証明する構成資産が組み合わさって初めて世界遺産としての価値が発揮されるという点において、最も世界遺産の素晴らしさを体現する世界遺産の1つと言ってもよいと思います。

因みに、アストゥリアス王国の首都がおかれたオビエドは、「アストゥリアス王国とオビエドの宗教建築物群」として世界遺産登録されています。この街は、アストゥリアス王国がイスラム教徒の侵攻を最後まで防いだため、スペイン発祥の地を自負しています。スペイン王室の皇太子は今でも「アストゥリアス皇太子」と呼ばれているそうです。歴史が現在に結びついていますね。

第4章

意外な世界遺産といえばここ！

日本で一番行きやすい世界遺産
「ル・コルビュジエの建築作品　近代建築運動への顕著な貢献」

日本で一番行きやすい世界遺産は「国立西洋美術館」だと思います。東京駅から山手線で10分弱の上野駅を降りてすぐ、本当に目の前にあります。しかし、こんなにもアクセスのよい場所にあるのに、上野駅を降りる多くの人は、国立博物館や上野動物園などに向かってしまい、世界遺産が目の前にあることに気が付いてもいないようです。

第1章でも書きましたが、世界遺産というと、「富士山」や「ケルンの大聖堂」「ローマのコロッセウム」など、誰もが「おっ！」と足をとめて見上げてしまうような、特別な存在感をもったものだと多くの人が考えていると思います。もちろん、そうした圧倒されるようなものも登録されていますが、そうでない遺産も多く世界遺産に登録されています。世界中の文化や歴史、自然環境などの多様性

上野の国立西洋美術館

を守っていく「世界遺産の本来の姿」と、「一般の人々の認識」がかけ離れてしまっているため、観光に訪れて「がっかり」したり、「こんなもの」を世界遺産にする必要があるのかと憤ったりしてしまうのです。
国立西洋美術館を見て、もっと美しくて圧倒される美術館が日本にはあるじゃない！　と思う人も多いはずです。でも、ちょっと見た感じは地味な国立西洋美術館ですが、実はすごい美術館なんです。
国立西洋美術館は、フランスやス

イス、アルゼンチン、インド、ドイツ、ベルギー、日本の7カ国に点在する、建築家ル・コルビュジエが設計した17資産の1つとして世界遺産「ル・コルビュジエの建築作品」に含まれています。これは、国境をまたいで遺産を守る「トランス・バウンダリー・サイト」と呼ばれる方法です。日本では初めてのトランス・バウンダリー・サイトです。それに加えて、「ル・コルビュジエの建築作品」は、大陸すらまたぐ、世界初の「トランス・コンチネンタル・サイト」としても注目を集めました。

複数の国にまたがる遺産を登録する場合、可能なかぎり関係締約国が共同管理機関などを設立して、遺産全体の管理や監督をすることが求められています。これが隣国同士などだった場合、法体制や文化的背景が似ていることもあり、共同管理が比較的しやすいのですが、大陸をまたいで世界中に点在しているような場合は共同管理が難しいという課題があります。「ル・コルビュジエの建築作品」は新しい保護の形への挑戦でもありました。

国立西洋美術館本館は、20世紀初頭に実業家の松方幸次郎が収集した西洋美術「松方コレクション」のフランスからの寄贈返還と、それに伴う新しい美術館の建設が原点となっています。松方コレクションは第二次世界大戦中に、フランス政府に差し押さえられていましたが、戦後その一部が返還されることになり、寄贈返還の条件が「松方コレクション」に相応しい新たな美術館の建設でした。

そこで日本政府が設計を依頼したのが、当時、世界的に知られていたル・コルビュジエです。彼の事務所で前川國男や坂倉準三などの日本人建築家が共に働いていたことがあった点も考慮されたようです。最初にル・コルビュジエに依頼の手紙を書いたのは前川國男でした。

実は「ル・コルビュジエ」というのは本名ではありません。本名はシャルル＝エドゥアール・ジャンヌレ。「ラ・ショー・ド・フォン／ル・ロクル、時計製造都市の都市計画」としてスイスの世界遺産に登録されているラ・ショー・ド・フォンで生まれました。ラ・ショー・ド・フォンは、18世紀に火災で大きな被害を受けたあと、機能的な都市計画の下で再建されます。街の主要産業である時計産業のために、採光性に優れた建物の配置にしただけでなく、火災に対する備えや衛生面なども重視されました。こうした、近代的な都市計画の見本ともいえる都市で生まれたことも、ル・コルビュジエの人生に影響を与えているような気がします。彼の父親はまさに時計職人でした。

ジャンヌレ（ル・コルビュジエ）がパリに移り住んで、画家のアメデ・オザンファンと始めたのが、ピュリスム運動です。ピュリスムとは、機械が発達した近代に相応しい芸術を作ろうとするものです。ジャンヌレとオザンファンたちは、幾何学的で科学的な原理に基づく機械のような秩序を芸術の中にも取り入れようとしました。ル・コルビュジエが設計した国立西洋美術館が、パリのアール・ヌーヴォーの装飾や、バルセロナのアントニ・ガウディ設計のサグラダ・ファミリア贖罪聖堂の有機的な曲線とは異なることがわかると思います。

ピュリスム運動の中で、当初はジャンヌレも絵画を描いていたのですが、やが

サグラダ・ファミリア贖罪聖堂　©ValeryEgorov

て建築についても雑誌に発表するようになります。そこで使ったペンネームが「ル・コルビュジエ」です。これは遠い親戚にあった「ルコルベジエ」家の名前を、少し変化させて2つに分け「ル・コルビュジエ」としました。母方の「ペレ」という姓は、すでにオーギュスト・ペレという有名な建築家がいたのでやめたそうです。

ル・コルビュジエの建築作品のキーワードになっているのが、「近代建築の五原則」と呼ばれるもので

サヴォア邸

す。構成資産に含まれるフランスの「サヴォア邸」において、その理念が完成形として示されていると考えられています。
「近代建築の五原則」の1つ「ピロティ」とは、フランス語で「杭」を意味する言葉で、サヴォア邸のように、建物の1階部分を柱が支えることで、空中に浮いたような軽やかな造形となりました。これは上野の国立西洋美術館本館でも見られます。
フランスではもともと、日本の1階部分は「rez-de-chaussée」と呼ばれ、日本の2階部分が「1階（premier étage）」になります。「étage」とは「階」や「層」を意味する言葉で、階段を1階分上るので、2階部分が「1階」となるのです。ややこしい文章ですみません。

「rez-de-chaussée」とは直訳すると「車道と水平の」という意味です。ピロティを用いて車道と水平のフロアから居住空間を取り去り、長い歴史の中でヨーロッパの街並みを作り上げてきた、大地に根付いたような重々しい石の建築物から、明るく軽やかな建築物へと変化を促しました。ピロティを持つ構造は、第一次世界大戦後の復興に向けて彼が考案したドミノ（Dom-Ino）システムの延長上にあります。ドミノ・システムとは、柱と床、階段を建築の基本とする考え方です。

ここで注目なのが、ヨーロッパの建築において長い間、重要な役割を担ってきた「壁」が入っていない点です。

ヨーロッパの建築は、ロマネスク様式からずっと、重厚な壁が建物を支えてい

ロマネスク様式のアルルのサン・トロフィーム聖堂

ました。そのためロマネスク様式では、壁の強度を下げる大きな窓をつけることが難しく、小さな窓で明かりを取り入れていました。それがゴシック様式になると、アーチ構造の改良と飛び梁（フライング・バットレス）が壁を支えることで壁にかかる力を分散し、大きなステンドグラスを入れることが可能になりました。それでも、主に建物を支えていたのが壁であることには変わりがなく、その後も基本的に壁が建物を支える時代が続きました。

20世紀初頭に生まれたドミノ・システムでは、鉄筋コンクリートを用いることで建物を支える力仕事から壁を解放し、柱が支える建築を実現しました。これがヨーロッパの建築を大きく変化させたのは言うまでもありません。壁一面を窓にして採光性を高めるような、今では当たり前の建築が、ル・コルビュジエの考えたシステムから生まれてきたのです。

この柱で支える建築という考え方、日本では昔から用いられていたものですよね。日本の家屋はふすまを取り払えば、家の端から端まで開放された空間になります。日本とヨーロッパで逆の流れをしているように見えて面白いのですが、かつて柱で支えていた日本の家屋は、最近では「2×4工法」のように壁で箱状に組み立てる家が増え、壁が支えるので窓は小さくなります。逆にヨーロッパの家屋は壁で支えていたものが、柱で支える工法に移行していったという流れです。もちろん、近現代建築は本当に多様なので、簡単に類型化することはできないのですが、ル・コルビュジエの建築を見ていると、面白いなと感じます。

ル・コルビュジエはその後も、「モデュロール」や「無限成長美術館」などの概念を生み出し、文化や歴史、気候風土などを、ひょいっと軽々と飛び越えてしまうような、グローバルな感覚の建築や都市計画を作り上げました。近代建築運動とは、そういうものだと言わんばかりに。

国立西洋美術館では、ピュリスムの理念が空間的に表現されていると感じることができます。国立西洋美術館は、中心から螺旋を描くような作りになっていて、それを展示室に立って眺めると、美術館の中で壁や天井、柱などが重なり合うモチーフとして浮かび上がってきます。国立西洋美術館は、世界遺産としては地味だと思われるかもしれませんが、ぜひ訪れてみてください。ル・コルビュジエが近代という時代の中で何を模索していたのかを知ることができる、とても貴重な世界遺産だと感じてもらえるはずです。

最新の手法が使われた龍安寺の石庭「古都京都の文化財」

日本で最も知られている歴史用語の1つが「ルネサンス」ではないでしょうか。ルネサンスとは、14世紀にイタリアのフィレンツェを中心に興った文化再興運動であると習うことが多い言葉です。ルネサンスは、フランス語の「ル（再び）」と「ネサンス（生まれる）」が組み合わさった言葉で、「再生」という意味です。イタリアで興った運動なのになぜフランス語なのかというと、19世紀のフランスの歴史家のジュール・ミシュレが初めて専門書の中で使用したためです。

ルネサンス以前のヨーロッパは中世と呼ばれる時代で、人々の毎日の生活も思想も、建築も芸術も、すべて神が中心にあり、神に捧げられていました。キリスト教カトリックが人の一生に関わるすべてを取り仕切っていたわけです。だから、私たちが最高権力者のように考えている各地域の王までもがカトリックの教皇に破門されることを恐れていました。キリスト教徒でいられなくなるということは悪魔の側に行くこと。まるで世界が終わるようなものだったのです。

教皇グレゴリウス7世に破門された神聖ローマ帝国の皇帝ハインリヒ4世が、雪の中、皇帝に許しを請うた「カノッサの屈辱」がよい例です。実は、許された後も司教の叙任権問題で両者は揉め、今度はハインリヒ4世がローマまで攻め入りグレゴリウス7世を追放してしまいます。破門されていないということが大事なんですね。

それが十字軍や商業を通じて、イスラム世界などキリスト教以外の価値観を持つ世界とヨーロッパの人々が接触するようになると、商業が盛んであった地中海沿いのイタリアの都市国家に、イスラム世界から幾何学や天文学、数学などの他、ギリシャ由来の哲学などももたらされました。そうした都市では、教会のしがらみに囚われない自由な気風が生まれ、人々は人文主義（人間主義）を中心とした思想や建築、芸術を生み出しました。ルネサンスとは、神から人への文化運動であるということができます。もちろん、神が作った人間の美しさ、ということではありますが。

ルネサンスに関係する世界遺産は、イタリアの「フィレンツェの歴史地区」や「ルネサンス都市フェッラーラとポー川のデルタ地帯」、フランスの「フォンテーヌブロー宮殿と庭園」などいくつもありますが、中でも象徴的なのが、イタリアの「ミラノのサンタ・マリア・デッレ・グラーツィエ修道院とレオナルド・ダ・ヴィンチの『最後の晩餐』」です。不動産を登録する世界遺産の中で唯一、絵画が世界遺産名に登場する遺産です。

「最後の晩餐」とは、イエス・キリストが磔刑《たっけい》にされる前夜、12人の弟子たちと最後の食事をしている場面を描いたキリスト教絵画です。レオナルドの作品では、弟子の1人が自分を裏切るというイエスの言葉に、驚きや動揺する姿が臨場感をもって描かれています。

この作品には、ルネサンス絵画の要素がたくさん詰め込まれています。まず、重ね塗りや繊

レオナルド・ダ・ヴィンチ「最後の晩餐」

細な色の使い分けをするために、漆喰に顔料をまぜる一般的な壁画の画法であるフレスコ画の技法ではなく、顔料を卵や膠《にかわ》などに溶いて描くテンペラ画の技法で描かれていること。これにより絵画としての繊細さを手に入れましたが、壁面への顔料の接着が弱く、すぐに顔料の一部が剥落してしまいました。

次に、イエス・キリストや弟子たちを「人間らしく」描いていること。ルネサンス以前のキリスト教絵画では、イエスや聖人たちには「光背」などが描かれて、聖なる人物であることが一目でわかるようになっていますが、ルネサンス期に描かれたレオナルドの「最後の晩餐」ではそうしたものはなく、普通の人間と同じような姿で描かれています。

そして、食堂の壁に描かれた壁画である「最後の晩餐」に奥行きを与えるために、ルネサンス期に確立した遠近法が使用されていること。イエスの顔の辺りに向かって直線が集まっており、イエスの背後に広がる窓の外までの空間的な広がりが表現されています。この遠近法は、絵画の中ではイタリアの画家ジョット・

ディ・ボンドーネが先駆けであるとされますが、レオナルドはそれを発展させます。彼は、描く物の大きさを手前と奥で変えるだけでなく、手前よりも奥の色を薄くし、さらに距離に応じて輪郭をぼやかすという3重の遠近法を用いました。

こうした人間的に描いた聖人像や遠近法は、キリスト教カトリックにとって驚きであったと想像できます。なぜなら、聖人が主役ではなくなってしまうからです。聖人が中心に大きく描かれたルネサンス以前の絵画が遠近法によりがらりと変わってしまいました。これは絵画の技法を超えて、価値観が大きく変換したことを象徴していると思います。

このルネサンスを象徴すると言える遠近法が使われている遺産が日本にもあります。それが「古都京都の文化財」に含まれている龍安寺の石庭です。

日本庭園の始まりは、百済からの渡来人や中国の唐から伝わってきた祭祀の場でした。日本庭園の様式が固まった奈良時代や平安時代は、政治的に重要な儀式や饗宴が、天皇の宮殿や貴族の邸宅の前の庭園で行われていました。鎌倉時代や室町時代になると、力を持った武家の屋敷でも庭園が造られるようになります。その時に用いられた様式の1つが、水を用いずに石や砂だけで自然を表現する枯山水です。

枯山水自体は、平安時代から見られる様式で、庭園内を曲がって流れる浅い小川である鑓水《やりみず》や池から離れた場所にある石組を指すものでした。それが中国の山水画の影響を受けて、禅宗の寺院や武家の邸宅などで、限られた空間の中に石組と砂だけで広大な自然を表現する庭園様式へと変わっていきます。

遠近法が用いられた龍安寺の石庭

背景には庭園が儀式を行う場所ではなく、室内から眺めて客をもてなす空間へと変化したことがあります。床《とこ》や棚への飾りと同じような感じです。また水を用いない庭園づくりは、応仁の乱などの戦乱から邸宅や寺院を建て直す時に、時間もお金もかけずに造ることができるという利点もありました。

わずか75坪（約250㎡）の空間に白砂と大小15個の石だけが置かれる龍安寺の石庭も、枯山水の代表例の1つです。しかし、この庭園がいつ現在のような姿になったのか、明確な記録は残されていません。史料からは、時期は17世紀中頃ではないかと考えられています。

庭の作者ではないかと言われている中の1人が、小堀遠州《こぼりえんしゅう》です。彼は江戸幕府で建物の建築や修復を行う作事奉行であり、茶人でもあった人物です。世界遺産では二条城の二の丸庭園を造ったことでも知られています。彼が龍安寺の石庭の作者であるとする根拠の1つが、石庭に遠近法が用いられているということです。

フランスの外交官レオン・パジェスが1869年に書いた『日本切支丹宗門

史』によると、1613年にキリスト教の宣教師が「宮廷付工人《こうにん》」に西欧文化を伝えたそうです。それが作事奉行であった小堀遠州だと考えられています。それに石庭が造られたとされる時期、彼は伏見奉行として京都にいました。小堀遠州か、彼に近しい人物が龍安寺の石庭に関わっているような気がしませんか。

龍安寺の石庭は80㎝ほど盛り土がされているのですが、寺の建物である方丈からみて左奥の隅に向かって庭の平面が低く傾いており、また方丈から見て右の石塀は右奥の角に向かって高さがだんだん低くなっています。これにより石庭は、方丈の左端の方から全体を見ると実際よりも奥行きがあるように見えます。そして、この位置から見ると方丈の右端の奥に評判であった枝垂れ桜が見えたそうです。今は残念ながらその枝垂れ桜はありません。

玄関である庫裡《くり》から渡り廊下を抜けて方丈に入ると、視界が開けて左側に石庭が広がります。また、高貴な人が通る勅使門《ちょくしもん》から方丈に入ってすぐに左を振り返った時も同じ場所からの眺めになります。まさにそこからの眺めに遠近法を最大に活かす工夫がされているのです。なぜ方丈の中央ではなく、端から見た時に奥行きが出るようになっているのかは、客をもてなすためであったと考えると納得ですね。

龍安寺の石庭は英国のエリザベス女王をはじめ多くの人々を魅了していますが、大陸からもたらされ日本で育まれた作庭の伝統に、最先端の技法をすんなり取り入れる江戸らしい柔軟さもその理由なのだと思います。龍安寺を訪れたら、ぜひここで立ち止まって石庭を眺めてみてください。当時の最先端の手法を感じることができます。

不思議な八角形の城「カステル・デル・モンテ」

世界で一番多くの世界遺産を持っているイタリアには、多様な世界遺産が登録されています。中でも独特な存在感があるのが、すべて八角形でできているカステル・デル・モンテです。「カステル・デル・モンテ」とは、直訳すると「山の城」。その名の通り、小高く岩だらけの山の上に建っています。それも周りに何もない場所なので、とても目立ちます。

このカステル・デル・モンテが面白いのは、徹底的に「8」にこだわっている点です。建物は上から見るときれいな八角形をしていて、その中心には八角形の中庭があります。そして、八角形の城の8つの頂点それぞれにまた八角形の塔がついています。城の中に入ると、それぞれの階に8つの部屋があります。それだけではなく、壁の装飾のレリーフを見ると、城の入り口には8つの四つ葉のクローバー、入ってすぐの部屋には8つの蔓の葉、別の部屋には8つのヒマワリや、8つの花びら、8つのアカンサスの葉、8つのイチジクの葉など、気持ちよいくらいに「8」に統一されています。

1240年に完成したこの城を築いたのは、神聖ローマ皇帝のフリードリヒ2世です。残念ながら、ここは8世ではありません。彼はイタリア南部のシチリア

丘の上に立つカステル・デル・モンテ

上から見ると八角形をしている

で育ちました。父であるローマ皇帝ハインリヒ6世がシチリア王女と結婚したことでシチリア王国の領土を手にし、フリードリヒ2世は父の死後、3歳でシチリア王国の王フェデリーコ1世となったためです。もちろんフリードリヒ2世とフェデリーコ1世は同一人物です。ややこしいですね。

当時のシチリアは、キリスト教文化とイスラム文化、ビザンツ文化、ラテン文化などが融合し、独自の文化を生み出していました。キリスト教カトリックが強い影響力を持っていた中世ヨーロッパで、シチリアはイスラムなどの外の世界との窓口のような場所でした。

多神教であった古代ギリシャや古代ローマを否定するようにキリスト教世界になったヨーロッパに比べ、自然や科学に対して自由な思想や発想が可能であったイスラムは、数学でも天文学でも、自然科学や哲学、医学などにおいても、ヨーロッパよりも遥かに優れていました。

フリードリヒ2世（当時はまだフリードリヒ2世ではなかったですが）は、幼い頃からイスラムの合理的で進んだ思想に触れて育ったため、当時のヨーロッパの他の王とは異なる価値観を持っていたはずです。

十字軍や交易を通してヨーロッパの人々がイスラムやビザンツの文化に触れ、フィレンツェなどでルネサンスが起こるのが14世紀頃とされているので、フリードリヒ2世がそこから100年近くも前からイスラムやビザンツの文化に触発されていたことがわかります。

スイスの歴史学者でイタリア・ルネサンスの研究でも知られるヤーコプ・ブルクハルトが、フリードリヒ2世を「玉座にある最初の近代人」と称したのもその革新性が理由でした。

近代法にもつながる初めての成文法をいくつも作り上げ、王の法廷にはキリスト教徒だけでなくイスラム教徒やユダヤ教徒も集い、意見交換が行われていました。1224年には法学や修辞学を研究するナポリ大学も設立しています。彼の宮廷には、あの「フィボナッチ数列」で有名な数学者レオナルド・フィボナッチも、何度も訪れていました。また、十字軍に参加した時に感染症にかかった経験から衛生学を学び、イスラムの習慣に倣って毎日入浴を行っていたそうです。カステル・デル・モンテにはそのために水をくみ上げる油圧式の装置と水槽の他、水洗トイレもありました。

他にも、イスラムやエジプトなどで主に行われていた「鷹狩り」に親しんでいたフリードリヒ2世は、ヨーロッパでまだ詳しく知られていなかった鷹狩りの技術やタカの習性、飼育方法などを自然科学の知識に基づき研究書『鳥による狩りの技術について』にまとめます。そこにはタカやハヤブサだけでなく80種もの鳥類の生態が書かれており、「神が自然も人もすべて作り上げた」と考えられていた中世ヨーロッパにおいて、自然科学の専門書としても近代的な視点を持った内容でした。

そんなフリードリヒ2世が築いたカステル・デル・モンテですが、実はどのような目的であの場所に築かれたのか、どのように使用されていたのかなど、よくわかっていません。

周囲は比較的、水や緑が豊かでしたが、近くを主要な街道が通っていない上に、内部に礼拝堂もないので統治目的や王の住居などではないと考えられています。また、当時の一般的な要塞にある堀や跳ね橋、兵舎、台所などもないため、要塞としても不十分です。フリードリヒ2世が狩りの時に滞在した狩猟小屋のような城だったのではないかという説が有力ですが、王が滞在した記録が残されていないため、それも確かではないのです。そしてなぜ「8」だらけなのかも。

8はキリスト教的には「始まり」や「再生・復活」を意味するそうです。神がこの世界を作り上げた天地創造では、神は6日間でこの世界のすべてを作り上げ、7日目にはお休みになります。つまり、8日目は再始動する日ということです。

また、神が堕落した人類を洪水で滅ぼし、選ばれたノアとその家族だけが方舟に乗って助かり、人類の文化を再興する創世記の中の「ノアの方舟」でも、ノアの家族は全員で8人でした。

しかしこれだけでは、カステル・デル・モンテが「8」だらけであることの説明にはなりません。ここでヒントになるのが、「数学」です。

フリードリヒ2世は、教皇から何度も十字軍をエルサレムに派遣するよう促されますが、のらりくらりとやり過ごしていました。しびれを切らした教皇グレゴリウス9世が、フリードリヒ2世を破門したため、フリードリヒ2世は1228年にしぶしぶ第6回十字軍を率いてエルサレムに向かいます。

キリスト教から破門された王が率いる十字軍なんて変な話です。当時の多くの騎士団も同じような違和感を覚えていました。しかし彼は戦闘することなく、イスラムのアイユーブ朝のスルタンであるアル・カーミルとの交渉によりエルサレムを奪還してしまいました。これはアイユーブ朝とコネクションがあったフリードリヒ2世だから成し遂げられた成果だったのですが、教皇グレゴリウス9世はイスラム教徒に被害を与えていないなどの理由でこれを認めません。逆に破門されているフリードリヒ2世を討伐するための新たな十字軍の組織を計画するなど、酷い状態にありました。

そんな状況の中で、フリードリヒ2世は、イスラムの幾何学的にバランスのとれた建造物や装飾デザイン、その基となる数学的な知識を改めて目の当たりにしたのだと思います。また、エルサレムでは世界遺産にもなっている八角形の「岩のドーム」を訪れており、カステル・デル・モンテの建造にも影響を与えているという指摘もあります。

イスラム世界の数学は、古代ギリシャにルーツがあります。古代ギリシャでは、世界のすべてを自然数とその比率で説明しようとするピタゴラス学派がありました。彼らが大切にした数に、正三角形を増やしてより大きな正三角形を作っていく「三角数」と、正方形を増やしてより大きな正四角形を作っていく「四角数」があります。

三角数では正三角形を増やすごとに三角形の頂点の数が、最初の数である1のあと、3、6、10、15……と増えていきます。これは、「1」「3（1＋2）」「6

エルサレムの旧市街にある「岩のドーム」

（1＋2＋3）」というように、自然数の和になっています。四角数は正四角形を増やすごとに四角形の頂点の数が、最初の数である1のあと、4、9、16、25……と増えていきます。これは「1」「4（2の2乗）」「9（3の2乗）」というように、自然数の2乗になっています。

こうした数学的な美しさと同時に、正三角形は内部を持つ最も単純で完全な図形であること、正四角形は図形的なバランスの良さから古代ギリシャ以降も特別視されており、デザインや建築でも正三角形や正四角形を組み合わせたものが多く登場します。

正八角形というのは、この正四角形を45度ずらして2つ組み合わせてできています。これは自然数とその比率で設計されるため、設計が行いやすい多角形だったこともあり、世界遺産に登録されている聖堂にも多くの正八角形のものがあります。

ビザンツ建築である6世紀に完成したラヴェンナの「サン・ヴィターレ聖堂」や、ビザンツ建築の影響を受け9世紀に完成したドイツの「アーヘンの大聖堂」、ルネサンス建築の代表例として15世紀に完成したイタリアの「フィレンツェの大聖堂」などです。フリードリヒ2世は、1215年の戴冠式でアーヘンの大聖堂を訪れており、この影響を受けたとも言われています。つまり、古代ギリシャの数学の影響を受けているイスラムやビザンツの建築の流れで、カステル・デル・モンテがあるのではないかということです。幾何学的な八角形とキリスト教的な「8」の意味をつなげると、何となくフリードリヒ2世が目指していたものが見

アーヘンの大聖堂

えてくる気がします。

フリードリヒ2世は最後まで教皇派と対立し、1250年に鷹狩りの最中に腹痛に襲われ命を落とします。毒殺だったとの説もありますが、真相はわかっていません。彼の遺体は、死後すぐに悪臭を放っていたとの記述も残されていますが、これは死後もよい香りを残すキリスト教の聖人と対立する人物として記録されたためだと考えられています。中世ヨーロッパには早すぎた近代人に、時代が追い付いていなかったのでしょうね。

見えなくて存在する「長崎と天草地方の潜伏キリシタン関連遺産」

見えないものは存在するのかしないのか。

第3章の鎌倉のところでも触れましたが、これはいろいろなことに当てはまる普遍的なテーマだと言えます。私が最近これを感じたのは、LGBTに関してです。

私の周りにもLGBTの人がいますが、それは私が普段接する人の数から考えると本当にわずかで、限りなくゼロに近い数です。その感覚からいくとLGBTに関する問題は、自分とは関係のない遠い世界の話のように感じてしまいます。きっと多くの人が「自分の近くにはいない」と思っているのではないでしょうか。でも本当にそうなのでしょうか？　「見えない」と「存在しない」はイコールではないのです。

そう感じることがいくつか重なったタイミングで、とある12歳のトランスジェンダーの女の子が主人公のオーストラリアのドラマを偶然に見る機会がありました。このドラマを見て思ったのは、なぜトランスジェンダーの人だけが、性自認をカミングアウトするかしないか悩まないといけないのか、ということです。

身体的な性別と心理的・社会的なジェンダーが一致するシスジェンダーの人は、そういうことは悩まないはずです。トランスジェンダーの人だけが性自認をカミングアウトしないことを、隠し事でもしているように怯えながら過ごさないといけないのは、平和で公正な世界とは言えません。トランスジェンダーが当たり前に受け入れられる世界、トランスジェンダーの人が普通に見えて存在する世界であれば、そうした悩みはないのではないかと思います。

これを世界遺産で考えてみると、このトランスジェンダーの人の悩みと似ているのが「潜伏キリシタン」の人々です。

潜伏キリシタンとは、江戸時代を中心にキリスト教信仰が禁じられ迫害されたため、仏教や神道の信者を装いながら人目を忍んでキリスト教信仰を続けた人々のことです。潜伏キリシタンたちが隠れて暮らした集落などが「長崎と天草地方の潜伏キリシタン関連遺産」として、世界遺産に登録されています。

潜伏キリシタンたちの場合は、キリスト教信仰が発覚すると、その人が罰せられるだけではなく、潜伏キリシタンの集落全員が拷問にかけられ殺される可能性もあったので、命がけで秘密を守っていました。発覚に怯えながら秘密を抱えて生きるというのは、どんなに大変だったでしょうか。

「長崎と天草地方の潜伏キリシタン関連遺産」という世界遺産は、教会堂が美しいとか建築様式がどうだとかいうことではなく、考えただけでも胃がキリキリと痛むような、「平和や公正」から遠く離れた世界を生きた人々の苦悩と希望を証明している遺産だと言えます。

この世界遺産は、日本のキリシタンに対する「禁教」期の遺産ですが、激しい「弾圧」を伝える遺産ではありません。そのため、雲仙火口のような「弾圧」のみを伝える資産は含まれていないのです。またキリシタン弾圧を証明する遺産は、九州だけでなく日本各地にあります。

構成資産で唯一、単体の教会堂で登録された大浦天主堂

一方でこの潜伏キリシタン関連遺産は、厳しい時代にカトリックの宣教師がいないまま、約250年も密かに信仰を続けてきた潜伏キリシタンの伝統を伝える遺産です。

日本各地で禁教期にキリスト教信仰を捨てた（捨てざるを得なかった）人々があった中で、長崎を中心とするこの地域では、早くから布教が行われ、組織的な信仰の基盤が整っていたために、苦しい思いをしながらも潜伏キリシタンとして信仰が続けられました。

潜伏キリシタンたちは、個人個人で信仰を選んで続けたわけではありません。「個人」ではなく、共同体の指導者に導かれ「集団」でキリスト教へと改宗しました。その背後にいるのが、キリシタン大名です。日本を訪れた宣教師たちは、手っ取り早くキリスト教を広めるために大名などの支配階級をまずキリスト教徒にしようとしました。そして大名たちは、ヨーロッパとの交易のためにキリスト教に改宗します。一方で、領民たちは上からの指示でキリスト教に改宗しました。その時に中心になったのが、数が足りない宣教師の代わりに人々を導いた地域の指導者たちです。

キリスト教徒たちを、国を支配する上で危険だと感じた豊臣秀吉や徳川幕府は、宣教師を国外追放し、キリスト教信仰を禁止します。キリスト教の教えに感銘を受けて改宗したわけではない多くのキリシタン大名は、禁教令が出たらさっさと信仰を捨て仏教などに復帰しました。しかし、神の前では誰もが平等である、というキリスト教の教えが心に響き浸透した下々の領民たちは、簡単にキリスト教を捨てることができず、「島原・天草一揆」をきっかけとして、潜伏していきました。

この島原・天草一揆は、キリスト教徒vs幕府、というように考えられがちですが、一揆を起こした農民たちの中にはキリスト教徒以外もいましたし、禁教後もヨーロッパのキリスト教徒たちは日本で交易を続けていました。

日本に最初に訪れキリスト教の布教を行ったのは、ポルトガルを中心とするキリスト教カトリックの宣教

島原・天草一揆のあった原城跡

師たちです。カトリックの宣教師たちは、イスラム教徒からイベリア半島を取り戻す再征服（レコンキスタ）の延長として海外に出て行っているので、日本でも勢いそのまま厳格に布教が行われ、時には在来の宗教や信仰（仏教や神道）などの否定も含んでいました。

カトリックが厳格であったのは、西ヨーロッパにゲルマン民族がやってきて社会が大混乱した時に、ゲルマン民族をキリスト教化して味方につける必要があり、儀式や制度を厳格にしていったからという背景があります。これは信仰がなくても儀式さえしっかり行っていればよいという、形式化されたものへと誤って受容されていくことにもなりました。

そうしたカトリックの姿に反発したのが、プロテスタントです。信仰と儀式を重視するカトリックに対して、勤労に重きを置いているのがプロテスタントです。カトリックで卑しいとされた金融業も、プロテスタントでは問題ありませんでした。そのため、プロテスタントはオランダやベルギーなどの新興国にも広がり、彼らは交易と富を求めて海外に飛び出していきました。

カトリックとプロテスタントの国々は、ヨーロッパでも宗教戦争として激しく争い、海外でも植民地と交易を巡って対立しました。カトリックの信者を中心とする島原・天草一揆軍に対して、日本との交易を行いたいプロテスタントのオランダは、幕府側に力を貸しました。そのため、幕府が一揆を抑えるのと同じくして、日本との交易相手は、カトリックのポルトガルからプロテスタントのオランダへと代わったのです。長崎の出島で交易を独占したのは、プロテスタントのオランダでした。

カトリックが負けたことが、キリスト教（カトリック）禁教にも影響を与えます。「潜伏キリシタン」というのは、カトリックを受け継ぐ人々です。潜伏キリシタンたちにとって、カトリックとプロテスタントは全然違います。潜伏キリシタンたちが信仰を告白した１８６５年の「信徒発見」以前に、プロテスタントの牧師に対して信仰を告白した潜伏キリシタンがいたそうですが、牧師が妻を紹介すると言うと、神父は独身であると伝えられてきた潜伏キリシタンは牧師のことを偽者だと思って次から姿を見せなくなったという話もあります。カトリックの神父は結婚をしないからです。

潜伏キリシタンたちは、表面的には神道や仏教の信者を装いながらも、内面ではキリスト教を信仰し続けました。しかし、彼らは「キリスト教徒」として確固たる存在であり続けたわけではなく、神道や仏教の信者として生活していく中で信仰も変化していき、キリスト教解禁後には、カトリックに復帰する者、そのままカトリックには復帰せず独自のキリスト信仰を続ける「カクレキリシタン」になる者、神道や仏教へと改宗する者など、実際は個人単位ではなく集落ごとに様々に分かれていきました。

つまり、潜伏キリシタンの中には、様々な強度のキリスト信仰を持つ人々がいたわけです。それが「キリスト教徒」として一括りにされ激しく弾圧されました。そのため、潜伏キリシタンの人々（集落）に対して、本当はそんな人々はいなかったのではないかと現在でも懐疑的な目を向ける人が、わずかですが残されてしまった気がします。

この世界遺産は初め、「長崎の教会群とキリスト教関連遺産」という名前で教会を中心とした価値で推薦を目指していました。その名前からもわかるとおり、長崎に多く残る「教会堂」を遺産の中心に据えた、「日本におけるキリスト教」の遺産という位置づけです。

しかし、「日本におけるキリスト教」が禁教という厳しい迫害を受け

出津集落

ながらも、200年以上にわたりその教えを密かに守り続けた奇跡的な歴史を持つという特徴が、この推薦内容では明確ではありませんでした。なぜなら、中心に据えられた「教会堂」はどれも、禁教が解かれた後に築かれたものだったからです。ICOMOSから指摘を受けたのもこの点でした。

そこでキリシタンたちの生活に焦点を当て直し、潜伏キリシタンの集落を中心とした価値で再推薦されます。これまで「出津《しっ》教会堂と関連遺跡」や「黒島天主堂」のように「教会堂」の名前になっていた構成資産が、「外海《そとめ》の出津集落」や「黒島の集落」のように教会堂を含む「集落」に変更されました。キリスト教伝来以前から信仰を集めていた自然崇拝の地に自分たちの信仰を重ね合わせた「春日集落と安満岳《やすまん》」や、藩の開拓移民政策にのり仏教指導者のもとで移住した「久賀《ひさか》島の集落」、神道の聖地に移住することで信仰をカモフラージュした「野崎島の集落跡」など、教会堂から焦点を広げることによって、それぞれの集落と教会堂の位置づけがはっきりわかるようになりました。この時に遺産名も「長崎と天草地方の潜伏キリシタン関連遺産」に変更されました。

こうした経緯から、ＩＣＯＭＯＳや世界遺産委員会は「西欧的な価値観」で判断しているために、日本独自のキリスト教文化が見られる長崎の教会群の価値は全く評価されず、無理やり西欧的な価値観に沿った内容に変更されてしまった、そうしないと世界遺産に登録されないというのは大いに問題がある、というようなことを言う人もいます。

しかし、私はそうは思いません。苦しみながらも信仰を続けた潜伏キリシタンの暮らしに焦点を当てたことで、この世界遺産は明確な普遍性を持つことになったと考えています。

また、構成資産が「集落」になったことによって、キリスト教徒以外の人々の生活や文化も価値に含まれるようになりました。潜伏キリシタンたちは、異なる信仰を持つ人々と断絶して生きてきたわけではなく、様々な信仰を持つ人々と、輪郭が曖昧な関係の中で暮らしてきました。「潜伏キリシタン」と「それ以外の人々」の生活や文化を切り分けることは無理なわけです。そのため、集落が遺産価値の中心になったことで、そうした地域の人々全体の生活や文化が含まれたことは、今を生きる長崎や天草地方の人々にとっても納得いくものなのではないでしょうか。

長崎はキリスト教徒の数が全国的に見ても多い地域です。キリスト教徒（カトリック）の割合は全国的には0・4％ほどですが、長崎県だけで見ると4％もいるそうです。それでも4％です。世界遺産が地域の人々にとって誇りとなるためには、やはり「自分たちの遺産」だと思えることが重要です。その点で、宗教に関連する遺産というのはデリケートなところがあります。集落を中心とした遺産価値は、キリスト教徒以外も「自分たちの遺産」と思えるものに、ハードルを下げたと思っています。

現在でもトランスジェンダーだけでなく、他にも人には言えない秘密を抱えながら生きている人は少なからずいると思います。「長崎と天草地方の潜伏キリシタン関連遺産」はそうした人々のことを考え、ＳＤＧｓ（持続可能な開発目標）の目標である「平和と公正をすべての人に」や「ジェンダー平等を実現しよう」の実現を目指すときに、ヒントを与えてくれると思います。「見えない」ものは「存在しない」わけではないんだと思いながら、世界を見渡したいなと思います。

第5章

ストーリーで読み解く世界遺産

すべてゼウスのせい「トロイアの考古遺跡」

人類の長い歴史を見てみると、多くの文化や文明が、地震や台風、豪雨、旱魃《かんばつ》などの自然災害に苦しめられてきました。また「運命」という言葉で片付けるには重すぎる、病や人の生死の問題など、人の力では何ともしがたい出来事に、振り回されてきたのが人類の歴史とも言えます。

人々は、そうした人智を超えた力を、何とか解釈して納得し、もしくは抗おうと努力してきました。その努力の営みの1つが神話世界です。神話からは、各文化がそれぞれの方法で世界を咀嚼《そしゃく》しようとしていることがわかります。中でも多神教の神話の世界は、「神々」が自由奔放で理不尽で、思わず笑ってしまうような話がいくつもあります。それだけ人間が迷惑を蒙《こうむ》っているということでもあります。

多神教の神話の世界を見ていて面白いのが、最高神は絶大な力をもっている一

フィリップ・パロット「パリスの審判」

方、彼らはだいたい好色で、妻に頭があがらないということ。その最たるものがギリシャ神話の最高神ゼウスです。
ゼウスは、妻である女神ヘラの目を盗んでは、牛や白鳥、雨や雲に姿を変えて若い女性に手を出します。雨や雲が女性を口説くという辺りがもう意味不明なのですが、ゼウスは人間の理解なんて気にしません。その反面、妻のヘラが怖いので、浮気相手を牛の姿に変えてごまかしたり、ヘラの陰謀で雷に焼かれた浮気相手の体からヘラに内緒で子供を救い出し、自分の太ももの中で育てたりと、ゼウスは何でもできるだけに、やりたい放題なのです。

女性に手を出したいけれど、女性がらみの面倒には腰が引けてしまうという、ゼウスの情けない姿勢が理由で人間が大変な思いをしたのが世界遺産「トロイアの考古遺跡」と関係のある「トロイア戦争」です。

トロイア戦争の引き金となったのは、ギリシャ神話の「パリスの審判」でした。神々が参加する、とあるパーティに招待されなかった争いの女神エリスは、パーティ会場を訪れると「この林檎を、最も美しい女神に！」と言い残し、黄金の林檎を置いていきました。呼ばれてもいないパーティにやってきて争いの種を撒いていくなんて、さすが争いの女神です。

そんなあからさまな争いの種に乗ってしまうのが多神教の神々なのです。その場にいたゼウスの妻である女神ヘラと、ゼウスの娘である女神アテナ、ゼウスの養女である女神アフロディーテが、自分こそが最も美しい女神であると、林檎を奪い合いました。

ここでゼウスが、ビシッと「最も美しいのは君だ！」と審判を下せばよかったのですが、女性同士の争いに腰が引けてしまったゼウスは、その判断をトロイア王の息子であるパリスに委ねました。最高神が神々の争いの審判を、人間に委ねたわけです。そんなのありなの？　という感じですよね。

自分を選んで欲しい女神たちは、パリスに対して褒賞を示します。女神ヘラは「王としての権力と富」を、女神アテナは「すべての争いに勝利する力と名声」を、女神アフロディーテは「世界で最も美しい女性」を。

多くの男性が望む、富と権力、名声、そして美しい女性。その中から若いパリスが選んだのは「美しい女性」でした。これが「パリスの審判」です。

最も美しい女神として林檎を手にした女神アフロディーテは、パリスに「最も美しい女性」としてスパルタ王メネラオスの妻であるヘレネを与えました。これがきっかけで、トロイアとスパルタが10年にわたり争うトロイア戦争が始まりました。「世界で最も美しい」からといって「人妻」を与えるあたり、もう神様のやることは理解を超えています。それも別の国の王妃を与えるのですから。神様からしたら「世界で最も美しい」以外のことはどうでもよいのでしょうね。スパルタ王には、本当に迷惑な話です。

トロイア戦争では、選ばれた女神アフロディーテがトロイア側に、選ばれなかった女神ヘラと女神アテナがスパルタ側に分かれて、神々も戦いました。ゼウスが最高神として審判を下していれば、この戦争はなかったかもしれないのに。

トロイア遺跡

パリスの審判とトロイア戦争の神話は、ホメロスの叙事詩『イリアス』に描かれ、長い間、空想上の出来事だと考えられてきました。しかし、この神話を信じたドイツの考古学者ハインリヒ・シュリーマンは、「ダーダネルス海峡のアジア側にある、いつも強い風が吹いている丘」という記述などを基にヒサルルクの丘に狙いを定めて発掘を行い、後に世界遺産となる「トロイアの考古遺跡」を発見したのです。

トルコ西部にある「トロイアの考古遺跡」は、紀元前3000年から後500年頃に至るまでの9つの地層が、折り重なるようになっている都市遺跡です。この一帯は、バルカン半島やアナトリア、エーゲ海、黒海などの間を結ぶ文化交流の地として栄えていたことがわかっています。ホメロスの『イリアス』には様々な都市の記録が混在していると指摘されていますが、第6市や第7市の地層から破壊や火災の跡、籠城に使用されたとする保存用の壺や傷ついた人骨、破壊された櫓などが見つかり、「トロイアの考古遺跡」がトロイア戦争の舞台の1つであることは確かなようです。

遺跡では140年間で24回の大規模な発掘が行われ、城塞とその下に広がる都市の全容が明らかになりつつあります。城塞の周りには城壁の23の部分や、11の門、舗装された傾斜路、5つの防御のための稜保の基礎部分などの他、先史時代の古墳や集落跡なども発掘され、まさに地域の歴史が層をなして残されています。

神話や伝承は、全くの荒唐無稽な物語ではなく、人間が世界を解釈する方法のひとつですので、神話の世界の研究が深まっていくと、私たちが忘れてしまった様々なことが解明されるかもしれません。

神々と阿修羅が協力して作った世界「アンコールの遺跡群」

IS（イスラム国）によるシリアやイラクの遺産破壊、イスラム教過激派タリバーンによるバーミヤンの大仏の破壊など、自己主張のために世界遺産を標的にする攻撃が近年、問題視されています。しかし、こうした過激な集団による文化財の破壊行為は、これまでも行われてきていました。

1000件を超す世界遺産の中で、唯一国旗に描かれているのがカンボジア王国のアンコール・ワットです。アンコール・ワットは、9世紀初頭からこの地を支配したアンコール朝の繁栄を伝える建造物群です。

アンコール朝は、最盛期にはインドシナ半島中央部のほとんどを支配するほど繁栄しました。その王位は実力

カンボジア最初の世界遺産であるアンコール・ワット

に基づくもので、父から子へ王位が受け継がれることも稀でした。そのため激しい王位争いに勝った国王は、即位すると王宮や寺院を建立することでその権力を神格化したため、一帯には多くの寺院や建造物群が築かれました。

中でも有名なのは、中心的な存在であるヒンドゥー教寺院のアンコール・ワットや、四面に仏顔が彫られたバイヨンの塔が印象的な仏教寺院のアンコール・トム、あのフランスの文化大臣まで務めたアンドレ・マルローが女神デヴァター像を盗み出したことでも知られるバンテアイ・スレイ、ガジュマルの根が建物を侵食し幻想的な姿を見せるタ・プロームなどです。

こうした遺跡群は、1431年に隣国タイのアユタヤ朝が侵攻し、アンコール朝が滅びたことで放棄され、密林の中に埋もれていきました。その過程で、ヒンドゥー教の寺院が仏教寺院に転用されたり、ガジュマルなどの自然に侵食されて朽ちていったのですが、決定的な被害を与えたのは、カンボジア内戦でした。

ポル・ポト率いるクメール・ルージュは反知性主義とされる政策を採り、大学教員や医者、技術者などの知識者層だけでなく、文字や時計が読める人、眼鏡をかけている人なども知識者層に含まれるとして殺害されました。これは、彼らが目指す平等で原始的な生活において知識は邪魔だと考えたからです。また知識者層が中心となってクーデターが起こることを懸念したとも言われています。眼鏡をしているだけで知性が感じられる！　って小学生みたいな発想ですが、本当にあったのです。

クメール・ルージュはまた、宗教を危険視してアンコール・ワットを破壊しました。彼らによって多くの仏像の首がはねられ、敷石にされたと考えられています。カンボジア内戦が停戦を迎えたのは1991年のこと。アンコールの遺跡群には、内戦で受けた砲撃の跡が今も残されています。内戦は手の届く近い歴史にあった出来事なのです。停戦翌年の1992年に世界遺産登録されると、同時に危機遺産リストにも記載されましたが、日本を含む各国の協力の下で修復活動が進められ、2004年に危機遺産リストを脱しました。

そうした「アンコールの遺跡群」の至るところで目にすることができるのが、ヘビの姿をした欄干やレリーフなどです。アンコール・ワット内の欄干や女神を描いたデヴァター像のレリーフの足元、アンコール・トムの南大門へと続く橋の欄干など、本当に様々なところにヘビの姿があります。

この一帯は熱帯性気候で、年間降雨量は約1500㎜ほどしかありません。雨季はよいのですが乾季になると旱魃に見舞われてしまいます。そのため、歴代の王たちは大きな貯水池（バライ）や水路

南大門の前で大蛇を引く神々の「乳海攪拌」の像

を築いて灌漑《かんがい》施設を整備しました。ヘビはそうした重要な水を司る神の象徴でもありました。

もう1つこの地とヘビの大きなつながりが、ヒンドゥー教の創世神話「乳海攪拌《にゅうかいかくはん》」です。

ヒンドゥー教の神々である雷の神インドラたちは、ある出来事がきっかけで呪いをかけられ、神の能力を失ってしまいます。この機に乗じてアースラ（阿修羅）たちが天に攻めてきたため、神々はヒンドゥー教の最高神であるシヴァ神とヴィシュヌ神、ブラフマー神に助けを求めましたが、彼らにも呪いを解くことができませんでした。悩んだ神々は、ヴィシュヌ神の提案に従い、「乳海攪拌」を行って不老不死の薬アムリタを作り、それを飲んで能力を取り戻すことになりました。

乳海攪拌とは、様々な植物や種子などを入れた海をミルク状になるまでかき混ぜて霊薬を生み出す大変な作業です。この作業は神々の力だけではできないため、神々はアムリタを半分与えることを条件に、アースラたちに協力してもらうことになりました。一時休戦となったわけです。

神々とアースラたちは、マンダラ山に蛇神である大蛇ヴァースキを巻き付け、その頭と尾を綱引きのように引き合いました。すると山が回転し海がかき混ぜられて植物や海の生き物たちがすり潰され、海がミルク状になっていきます。1000年もかき混ぜ続けると、海の中から様々な神や女神、太陽や月、聖獣、聖樹などが誕生し、最後にアムリタが現れました。

ここでアムリタを、神々とアースラたちが分け合って、万事解決になるかというと、やはりそうはいきません。アムリタを奪おうとするアースラたちと神々の激しい争いが起こり、最終的にはヴィシュヌ神の活躍によって神々が勝利し、神々はアムリタを飲むことができたのです。1000年以上も協力したアースラたちにはちょっと気の毒な神話です。

この乳海攪拌も、人々が世界を理解するための創世神話だったので、その過程でこの世界の様々なものが生まれています。また、関連して面白いエピソードがあります。月や太陽が地球との位置関係により満ち欠けする月食や日食。現在ではその仕組みがわかっていますが、昔の人はみるみるうちに月や太陽が満ち欠けする姿がさぞかし不思議だったことと思います。その謎を解決するのが、やはり乳海攪拌です。

神々の目を盗んでアースラの1人がアムリタを飲んでしまいます。それを見ていた月と太陽があわててヴィシュヌ神に伝えると、ヴィシュヌ神は素早くアースラの頭を切り落としました。アムリタがまだ喉を通り切っていなかったため頭だけが不死身になったアースラは、ヴィシュヌ神に告げ口をした月と太陽を追いかけて飲み込みますが、体がないために月と太陽はすぐに、すぽんっと出てきてしまいます。これが月食と日食なんだそうです。面白いですね。

神々とアースラたちが綱引きのように蛇を引き合う乳海攪拌のレリーフや像、また別の神話や神々なども至るところで見られるアンコールの遺跡群は、神々の世界や信仰と人々の生活が、すぐ近くで密着していたことを知ることができる遺産でもあるのです。

遺産がつなぐ記憶
「飛鳥・藤原の宮都とその関連資産群」から「古都奈良の文化財」へ

フランスに留学中、ジャズフェスを聴きに何度かヴィエンヌという小さな街を訪れたことがあります。古代ローマ劇場でジャズを聴きながら夏の夕日が舞台の奥の山に沈むのを見ていると、古代ローマ時代の人々もここに座って同じように夕日を眺めたに違いないと感じました。それは、歴史上の人々も出来事も、確実に今ここにいる私につながっているのだという、何だか震えるような不思議な感覚でした。

そんな思いを私に抱かせる遺産が日本にもあります。暫定リストに記載されている「飛鳥・藤原の宮都とその関連資産群」です。

この遺産は、6世紀末から8世紀初めにかけ、日本が律令制による統治機能を整えて統一国家を生み出した時代を、飛鳥宮跡や藤原宮跡などの宮殿や、酒船石《さかふねいし》遺跡などの祭祀空間、日本最古の水時計台の飛鳥水落《みずおち》遺跡、飛鳥京跡苑池などの庭園、飛鳥寺跡や橘寺跡などの仏教寺院、石舞台古墳や牽牛《けんご》子塚《しづか》古墳、高松塚古墳といった墳墓などで証明するものです。

この遺産の前の時代では、仏教寺院ではなく巨大古墳が、個人の権力の大きさや社会的な権力構成などを示し

蘇我馬子の墓とされる石舞台古墳

ていました。それを証明する世界遺産が「百舌鳥・古市古墳群」です。「百舌鳥・古市古墳群」は海上交易の窓口であった大阪湾を望む台地の上にあり、白い葺石が敷き詰められ光り輝いていた仁徳天皇陵古墳（大仙古墳）などは、大阪湾を行き来する船からよく見えたはずです。

しかし、東アジアとの交易や文化交流の中で仏教が日本に伝わってきて、天皇の陵墓を守る役割が寺院に移っていくと、巨大古墳は作られなくなりました。飛鳥・藤原京の時代の日本では、仏教や律令制度など中国や朝鮮半島の最新文化を取り入れながら、統一国家を整えていきました。

私が奈良に行く時、嬉しいことに美しい満月の夜が多いのですが、月明かりが照らす大和三山を、きっと飛鳥・藤原時代の人々も同じように見ていたのだろうなといつも思います。

構成資産にも含まれている大和三山（香具《かぐ》山、耳成《みみなし》山、畝傍《うねび》山）を詠んだ有名な一首が『万葉集』の中にあります。

香具山は　畝火ををしと　耳成と　相あらそひき　神代より　かくにあるらし
古昔も　然にあれこそ　うつせみも　嬬をあらそふらしき

（『万葉集』中大兄皇子《なかのおおえのおうじ》）

「大化の改新」でも有名な中大兄皇子が詠んだこの歌は、大和三山を男女の神々に見立てて恋愛模様を表現したものですが、その背景には、中大兄皇子と弟の大《おお》海人皇子《あまのみこ》、そして額田王《ぬかたのおおきみ》の関係があるとも言われています。

額田王は大海人皇子の寵愛を受けていましたが、後に中大兄皇子（天智天皇）の寵愛を受けるようになります。その額田王が、天智天皇の宴で詠んだのが、次の一首です。

あかねさす　紫野行き　標野行き　野守は見ずや　君が袖ふる

（『万葉集』額田王）

袖を振っている君が、大海人皇子というわけです。額田王の心は、天智天皇か大海人皇子か、どちらにあったのでしょう。

大化の改新を成し遂げ権力を誇った中大兄皇子（天智天皇）の勢力も、その後継者争いで壬申の乱が起こり、大海人皇子（天武天皇）に敗れます。天武天皇の死後、天武天皇の妻で天智天皇の娘である持統天皇が即位し、その持統天皇の死後、持統天皇の妹で義娘でもある元明天皇が平城京に遷都します。ややこしいですが、ここで世界遺産「古都奈良の文化財」につながります。

一方で、中大兄皇子に大化の改新で敗れるまで権力を握っていたのが、豪族の蘇我氏です。「飛鳥・藤原の宮都とその関連資産群」の構成資産に入っている石舞台古墳は、蘇我馬子の墓だと考えられています。蘇我馬子は、厩戸《うまやど》皇子（聖徳太子）と共に仏教への信仰を力に権力を掌握しますが、現在も評価が高い厩戸皇子とは異なり、蘇我馬子は横暴な豪族として描かれることが多い人物です。

しかし、『古事記』も『日本書紀』も、大化の改新で蘇我氏の勢力を奪った藤原氏（天智天皇が賜った姓）によって書かれたものです。当然、蘇我氏をよく書くわけがありません。それもあってか、「飛鳥・藤原の宮都とその関連資産群」の構成資産には、実はまだまだよくわかっていない点が多くあります。

蘇我馬子や厩戸皇子は、本当はどんな人物だったのでしょうか。石舞台古墳や牽牛子塚古墳には、誰が葬られていたのでしょう。

「古都奈良の文化財」は奈良時代と呼ばれる時代の藤原氏の勢力の大きさを証明する遺産群です。「飛鳥・藤原の宮都とその関連資産群」はそれ以前の日本の歴史、天皇を中心とした統一国家の形成から成立までを証明する遺産です。そして厩戸皇子に関係する「法隆寺地域の仏教建造物群」。

奈良の月や山々、木々などを見たり、『日本書紀』や『万葉集』を読んでいると、想像がどんどんと膨らんでくるのは私だけではないはず。世界遺産を守り残すということは、こうした人類の記憶や思いを受け継いでいくことなのだと思います。

同じように奈良の記憶を受け継いでいるのが、奈良の街中を歩くシカです。奈良公園のシカは、春日大社の祭神である武甕槌命《たけみかづちのみこと》が鹿島神宮から白鹿に乗って御蓋山（三笠山）に降臨したとの伝説から、神鹿として手厚く保護されてきました。普通の街中に、表情からは何を考えているのかよくわからないシカが、のん気に歩いている環境っていいですよね。身近に動物がいるというのも、私が奈良を好きな理由の1つです。

しかしそれは観光客としての視点であって、そこで生活している人々にはまた別の視点があります。特に奈良公園の近くで農業を営む人にとっては、シカが農作物などを食べてしまう食害は深刻で、実効性のある対策が長い間求められていました。

２０１６年3月1日、奈良県はシカの保護を「重点保護地区」「準重点保護地

奈良の興福寺で休むシカ

区」「保護管理地区」「管理地区」の4段階に分けて行い、一番外側に当たる「管理地区」では年間120頭まで個体数を調整できるようにしました。そして2017年から捕獲が開始されました。

先述のように、奈良公園のシカは神鹿として古くから保護されてきました。江戸時代にはシカを傷つけた人が処刑されることもあったそうです。しかし、明治時代になって価値観が大きく転換すると、それまでの反動もあって乱獲されてしまいます。また、第二次世界大戦中には食糧難による密猟で数が激減してしまいました。大戦後は、社会の安定やシカの激減に対する反省から再び保護されるようになり、1957年には国の天然記念物に指定され、奈良市全域が天然記念物指定を受けたシカの保護区域として捕獲や駆除は禁じられました。

奈良にとってシカの存在は、宗教的な重要性であったり、街の象徴であったり、観光客集めであったり、プラスの側面がある一方で、過剰な個体数の増加による、農作物をシカが食べる食害や生態系の異変など、マイナスの側面も無視できないものです。

生態系では、シカが好まないナンキンハゼなどの植物ばかりが増えてしまったり、シカが食い荒らしたあとに外来種が繁殖している他、シカが首を伸ばして木の葉を食べるため奈良公園の木の葉の地面からの高さがどれも揃っているなど、現実問題として変化が表れてきています。

こうしたマイナス面に対処するものとして、個体数の調整を行うのはやむを得ないことだと思います。私たち人間が暮らしやすいように世界を変えてしまっている以上、人間が手付かずの自然の一部としての存在に戻ることは現実的ではなく、人間が管理に責任を持つ必要があると考えるからです。

確かにこれは傲慢な考え方かもしれません。人間がニホンオオカミなどを駆除し、自分たちに都合のよい生き物を保護してきたことで生態系が崩れ、それによって人間の生活に悪影響が出たら今度は保護してきた生き物を駆除する。人間は勝手すぎるでしょ、というのも全くその通りです。これまでの人間の自然に対する傲慢さというのは大いに反省すべきです。しかしこれからは、反省すべき過去も受け継いで未来につなげていかないといけないと思うのです。人間が手を加えておかしくしたのなら、人間が何とかしようと努力しなくては。

自然や生態系に関わる保護・保全というのは、バランスの取れた長期的な視野が必要になります。生物生態学の視点、農業の視点、観光の視点、環境保護の視点、地域住民のアイデンティティ形成の視点など、様々な視点から見て、納得がいく合意点を見つけなければなりません。

そのためには、地域の文化や自然、将来像について地域の人々自身が話し合って、自分たちの力で将来像を作り上げるという、本当に大変なプロセスが必要です。「かわいそう」という意見もあると思いますが、このままバランスを崩した状態で地域住民の生活と動物の生態との間に軋轢《あつれき》が続けばお互いにとってもっと「かわいそう」なことになります。個体数の管理は、むやみに乱獲することとは違います。生きている物を殺すことに抵抗があるのは当然のことです。それは個体数を管理している人々も同じ思いです。

世界遺産でのシカの駆除というのは、すでに「知床」で行われています。「知床」では、自然環境を守り生態系のバランスを保つために、2010年よりエゾシカの個体数管理を行っています。これはIUCNから個体数管理をするように指摘されていた点でもあります。

私たちは経済的な面も含めて、何ができるのか、どのような未来を求めているのか、真剣に考えるときにきています。世界遺産は、地域の記憶を受け継ぐために何ができるのか考えるよすがとなるものなのだと思います。

新型コロナウイルスと魔女「バンベルクの旧市街」

新型コロナウイルスの感染が拡大してから、街を歩いていても電車の中でもマスク生活が当たり前になってきました。家の外ではマスクをするという生活は、いつまで続くのでしょうね。

また新型コロナウイルス感染者へのイジメも問題になっています。どんなに対策をしていても誰でも感染の可能性があるのに、感染者だけでなくその家族までがイジメにあったり村八分になったりするなんて、ちょっと異常です。そんなニュースを読んでいて思い出したのが、中世ヨーロッパの魔女狩りです。

15世紀頃から18世紀頃にかけて、ヨーロッパでは魔女とみなされた人物を迫害し、拷問や火あぶりなどの方法で処刑する魔女狩りが行われました。それにより、ヨーロッパ各地で女性を中心に数万人に及ぶ無実の市民が命を落としました。

魔女狩りが大々的に行われ始めた頃のヨーロッパでは、14世紀末から猛威をふるったペスト（黒死病）やペストにより閉塞した社会や生活への不安、そこに加わった自然災害や戦争などへの不満が、人々の間に渦巻いていました。一方で、人々の生活に大きな影響を与えていたカトリック教会は、権力が集中することにより腐敗も広がっていて、それに異論を唱えるものを「異端」として排除し弾圧することも日常でした。

魔女も、カトリック教会から「異端」として弾圧される対象だったのです。ペストのような人々の理解を超える出来事は、カトリックの教えとは異なる「超自然的な力」が原因であると考えられました。魔女の扱う魔術は、中世ヨーロッパの反ユダヤ感情とも結びついてイメージが出来上がっていきました。

中世には、キリスト教の信仰はヨーロッパの一般の人々の中にもしっかりと広がっていましたが、実際はキリスト教以前の多神教時代の信仰や儀式というものも、姿を変えてその地のキリスト教信仰に取り込まれながら残っていました。しかし、キリスト教神学では、「神の国」と「悪魔の国」を二項対立で捉えていたため、薬草を使って人々の病を治したり、天候を占って農作物を守ったりするいわゆる「白魔術」を使う人も、魔女狩りの時代には迫害されることになりました。

魔女狩りで大きな転換点となったのが、教皇イノケンティウス8世の下で、ドミニコ会の異端審問官のハインリヒ・クラーマーが1486年に著した『魔女への鉄槌』という書物です。これは彼の独自の見解と言うよりも、それまでに出された教会知識人の意見をまとめたものでしたが、そこには魔女の儀式や魔女を見分ける方法まで書いてあり、異端の中でも特に魔女を厳しく糾弾し弾圧すべきであると、広く世間に印象づけるものでした。

激しい魔女狩りの歴史を持つ世界遺産がドイツの「バンベルクの旧市街」です。バンベルクは、後に神聖ローマ皇帝となるバイエルン公ハインリヒ2世が、1007年に司教座教会を置いたことで発展します。ハインリヒ2世はバンベルクを妻のクニグンデに贈ったとされ、夫婦の私財をつぎ込んで現在の大聖堂の基となる聖堂や修道院などを築きました。

しかし、1524年と1525年の農民戦争と、1618年から始まる三十年戦争でのキリスト教プロテスタントのスウェーデン軍による破壊で、バンベルクの街は大きな被害を受けました。この時代のバンベルクは戦争だけでなく、キリスト教内の権力争いや、天候不順による飢饉、ペストやその原因をユダヤ人に求める偏見により、多くの人々が命を落とす閉塞した社会状況がありました。

バンベルクでは1507年に異端審問に関する政令が出され、そこで魔女を火刑に処す規定を定めていましたが、この街で特に大規模な魔女狩りが行われたのは1609年にバンベルク大司教になったヨハン・ゴットフリート1世と次の大司教ヨハン・ゲオルグ2世の時代です。特にヨハン・ゲオルグ2世の時代には魔女のための牢獄も作られ、1623年から1631年の9年間で、バンベルクだけで300人以上、彼の司教区では約900人が処刑されたそうです。

川の上に建つバンベルク旧市庁舎

ロマネスク様式のバンベルク大聖堂

ヨハン・ゲオルグ2世に反対するバンベルク市長のヨハネス・ユニウスも、黒魔術の集会に参加した容疑で拷問にかけられ命を落としました。ヨハン・ゲオルグ2世が政治権力争いに魔女裁判を利用していたことも史料から明らかになっています。バンベルクの魔女狩りが終わったのは、皮肉にも1632年にスウェーデン軍が街に侵攻し、ヨハン・ゲオルグ2世が逃亡したことがきっかけでした。

魔女狩りは多くの場合、教会が主導した魔女裁判という「合法的」な手段で進められていきましたが、それをしっかりと支えていたのは一般の人々です。魔女狩りは、一般の人々の社会や生活に対する不安や不満のはけ口になっていただけでなく、魔女の公開処刑が娯楽のような側面すら持っていました。閉塞し鬱屈した社会状況では、親族や隣人まで密告するような常軌を逸した行動が起こりうるのです。

今は美しい中世の街並みが残るバンベルクにも、暗い歴史があったわけです。

当時の社会状況と、現在の新型コロナウイルス下の社会状況は違いますが、人がダークサイドに落ちるのは案外あっけない些細なきっかけなのかもしれません。ナチス政権下などでもそうだったし。お互い気をつけたいですね、ほんとに。

『鬼滅の刃』あるいは世界遺産の多様性

新型コロナウイルスと共に話題をさらったのが、アニメ『鬼滅《きめつ》の刃』です。ちょっと前までは、タイトルの読み方もわからなかったのですが、原作のマンガを全巻読んでみました。

ストーリーは、ものすごく簡単に言うと、鬼になってしまった妹を人間に戻すために兄が奮闘し、その兄を含む人間たちが力を合わせて鬼を生み出す大親分のような鬼を倒すというものです。大雑把にし過ぎていて怒られそうですが。

基本的には鬼と人間しか出てこないのですが、物語全体を通して、鬼が圧倒的に強いんです。人間なんてほんと簡単にバタバタと殺されてしまう。それが10

00年以上も続いています。そこで人間たちは「鬼殺隊」という剣士の集団を作って、何百年もの間、鬼退治を続けてきました。では、個として圧倒的に強い「鬼」と、個としては弱く殺され続ける「人間」と、どちらが「強い」のでしょうか。

世界遺産に登録されている自然には、「知床」のヒグマや、バングラデシュの「シュンドルボン」のベンガルトラ、メキシコの「カンペチェ州カラクムルの古代マヤ都市と保護熱帯雨林群」のジャガーなど、様々な「強者」と呼ぶべき生き物が生息しています。しかし、それらのほとんどは絶滅の恐れがある生き物です。それに引き換え、彼らと1対1で対面したらまず敵わない「弱者」とも呼べるナマケモノやシマウマ、アイベックスなどは、絶滅の危機には直面していません。もちろん、ヒグマにあっという間にやられてしまう人間だってそうです。

実際の自然界では、強いからといって確実に獲物をしとめられるわけでもないですし、弱いからといって必ず喰われてしまうということもありません。「適者生存」で、環境に適した生存戦略を様々な生き物が採りながら「種」として残っ

カラクムルに生息するジャガー

ています。つまり「個」の強さなんてほとんど意味がない。「個」としてどちらが「強い」なんて設問自体がナンセンスなのです。『鬼滅の刃』で考えると、「個」がどれだけ殺されたとしても、「種」として鬼に立ち向かった人間が次の世代に遺伝子を受け継いでいったわけです。

「種」として環境に適応していく上で重要なのが多様性です。世界各地の自然や環境には、もう数えきれないほどの状況があります。その無限に広がる環境に適応するために何が最適なのか、はっきり言ってわかりません。時代の変化や気候変動まで考えたらそれこそ無限の可能性があるのですから。もしかしたら、私のように目がものすごく悪いということが、将来どこかの環境では有利なものとなるかもしれないのです。

種を将来的にも確実に残し伝えていくためには、種の中にできるだけ多くの可能性を残しておくことが大切です。体が不自由だったりするような、現在の世界では不都合と考えられるものだって、種の生存戦略から考えれば大事にした方がよいと言えるのです。

第1章で例に出したアイルランドのジャガイモ飢饉でもわかるように、選択集中や効率化というのは、短期的な経済の視点ではよいですが、危険性もあります。『鬼滅の刃』で鬼が人間に勝てなかったのは、多様性を持つ人間に対して、たった一人の鬼の血に頼っていた多様性の欠如が理由だったのかもしれません。そんなわけないかな。

第1章でも書きましたが、世界遺産というのは、まさに世界の多様性を代表するものです。世界には私たちが普通に暮らしていると出会うことのない、様々な文化や自然があります。それをしっかり守って伝えてゆく。古臭くて不便な伝統的集落や開発の邪魔になる自然環境なども、世界遺産として守っていくべき理由はそこにあると思います。

２０２１年に世界遺産登録された「奄美大島、徳之島、沖縄島北部及び西表島」で認められた価値は、「絶滅危惧種を含む生物多様性」の価値です。登録された4つの島の5つのエリアは、黒潮と亜熱帯性高気圧の影響を受ける温暖で多

様々な生物が生息する奄美大島

湿な亜熱帯性気候で、主に常緑広葉樹多雨林に覆われています。そこに生息するヤンバルクイナやアマミノクロウサギ、イリオモテヤマネコなど、固有種が独自の進化をとげ、世界有数の生物多様性を示している点が評価されました。かつて大陸と陸続きだったこの地に取り残された種が、大陸でオリジナルの種が絶滅した後も独自の進化を続けました。

こうした貴重な生態系や自然環境が崩れるのは、本当に一瞬です。また、美しい自然環境を破壊することは、それを創り上げている「生きている」者たちを殺すということです。一度、殺してしまうと元に戻すのは非常に困難です。殺すのは一瞬ですが、元に戻すのには気の遠くなるような長い年月が必要なのです。もちろん、その美しい自然に影響を受けている文化や社会も含まれています。人類だってこの美しい自然を構成する「生きている」者の1つなのですから。世界遺産を訪れるときは、ぜひ多様性を意識してみてください。見え方が少し違ってくるかもしれません。

おわりに

私は山田洋次監督の「男はつらいよ」シリーズが大好きです。好きな理由の1つが、映画の中に残されている消えゆく風景です。

1969年から1995年まで続いた映画の中には、様々な日本の情景、人々の姿が描かれています。お正月には着飾って家族でおせちをつつき、街はしめ飾りや門松が置かれてハレの日の雰囲気に溢れています。十五夜には白いお団子とすすきを飾り、秋には縁側で白菜を干す。よもぎのかごを担いだ行商人や汗を流してカキ氷を食べる人。かつての日本には「季節」がしっかりとありました。

それに、朽ちかけた土塀の通りや寂れた看板、年季の入った木造の古い街並み。それも生活から切り離されたものではなく、人々がそこで生活している生きた街並みです。今やどの駅を降りても代わり映えのしない無機質な街並みは、かつてはそうではなかったのです。古い家は手入れも大変だし不便です。住んでいる人だけに困難を押し付けることはできないため、古い街並みが消えていってしまうのは仕方がないのですが、それでも懐かしさと寂しさを覚えてしまいます。それは、多様性が失われることに対する寂しさだと思います。

世界が1つの価値観の中に飲み込まれていくことに反発する動きや、世界の多様性を守ろうとする動きの中に、ユネスコの活動はあります。1972年に採択された世界遺産条約と2003年に採択された無形文化遺産条約（無形文化遺産の保護に関する条約）は、ユネスコが中心となり世界の多様性を守るための活動です。本書で扱った不動産を扱う世界遺産条約は、自然環境や建造物、記念物などを保護する条約で、その不動産のある場所で行われている宗教儀礼や伝統芸能、文化表現などは無形文化遺産条約が保護しています。

先ほどの「男はつらいよ」の中に残される有形無形の文化や自然は、「文化財」というほどの大げさなものではなく、正に人々の日常です。それは世界遺産条約や無形文化遺産条約の枠組みのすき間をするりとすり抜けて消えていってしまうものだと言えます。

古いものや伝統がすべてよいとは全く思いませんが、それでも世界中の地域が、それぞれの気候風土に合った文化や日常の風景を残していくことが、文化的にも経済的にも、人々の日常生活の面でもプラスになる世界というのが、世界遺産や無形文化遺産の活動の最終目標なのだと思います。守るべきは世界遺産や無形文化遺産に登録されている遺産だけではないのです。

本書を読んで、世界の多様さを楽しむ、自分がいる場所とのギャップを楽しむ気持ちになっていただけたら幸いです。簾《すだれ》を通して入ってくる風や夕焼けの雲、家路につく人々や台所姿のような、何てことのない日常の風景が残ることを願って。

2022年1月5日

参考文献

稲葉信子「世界遺産条約の今後―未来の遺産概念の構築に向けて」世界遺産学研究　No.2、2016年
瓦林康人「2017年国連開発のための持続可能な観光国際年における我が国の取り組み、そして未来へ」観光庁、2018年
高橋暁「文化遺産危機管理とユネスコ国際条約の統合的運用に関する研究　1954年ハーグ条約、1970年文化財不法輸出入等禁止条約、1972年世界遺産条約を中心に」日本建築学会計画系論文集第74巻　第642号、2009年
佐藤義明「武力紛争における文化財の保護」成蹊法学第85号論説、2016年
前田星「ヨーロッパ近世刑事司法の中の魔女裁判（1）：ハインリヒ・フォン・シュルトハイスの『詳細なる手引き』を手掛かりにして」北大法学論集、70（4）、2019年
松浦晃一郎『世界遺産―ユネスコ事務局長は訴える』講談社、2008年
宮澤光『世界遺産のひみつ』イースト・プレス、2019年
宮澤光『世界遺産で考える5つの現在』清水書院、2020年
牟田和男『魔女裁判―魔術と民衆のドイツ史』吉川弘文館、2000年
柳谷晃『一週間はなぜ7日になったのか』青春出版社、2012年

吾峠呼世晴『鬼滅の刃』集英社、２０１６―２０２０年

東京大学　令和3年度予算　https://www.u-tokyo.ac.jp/content/400157741.pdf（２０２２年1月15日閲覧）

UNESCO「UNESCO TRANSPARENCY PORTAL」https://opendata.unesco.org/en/（２０２２年1月21日閲覧）

UNESCO「World Heritage List」https://whc.unesco.org/en/list/（２０２１年12月27日閲覧）

UNESCO「1954 Convention for the Protection of Cultural Property in the Event of Armed Conflict」https://en.unesco.org/protecting-heritage/convention-and-protocols/1954-convention(２０２２年1月19日閲覧)

ウェストファリア条約（歴史文書邦訳プロジェクト）https://web.archive.org/web/20130701072949/http://www.h4.dion.ne.jp/~room4me/docs/westph.htm（２０２１年10月23日閲覧）

武力紛争の際の文化財の保護に関する条約（外務省）https://www.mofa.go.jp/mofaj/gaiko/treaty/treaty166_2.html（２０２１年11月19日閲覧）

龍安寺　http://www.ryoanji.jp/smph/（2022年1月15日閲覧）

Castel del Monte, the Citadel of Mysteries　https://www.italia.it/en/castel-del-monte-the-citadel-of-mysteries（２０２２年1月15日閲覧）

INTERNATIONAL COMMITTEE OF THE RED CROSS　https://ihl-databases.icrc.org/ihl/INTRO/325?OpenDocument（２０２２年1月15日閲覧）

●著者プロフィール
宮澤光（みやざわ・ひかる）
NPO法人世界遺産アカデミー主任研究員。北海道大学大学院博士後期課程を満期単位取得退学。仏グルノーブル第Ⅱ大学留学。早稲田大学、東洋大学、跡見学園女子大学非常勤講師。『世界遺産のひみつ』（イーストプレス新書）、『世界遺産で考える５つの現在』（清水書院）など世界遺産に関する様々な書籍の執筆・編集・監修を手掛けるほか、NHK総合「明治日本の産業革命遺産　世界遺産決定スペシャル」、テレビ東京「日経スペシャル未来世紀ジパング」、フジテレビ「Live News it!」などに出演。これまで全国各地で100本を超す講演・講座を実施している。

マイナビ新書

人生を豊かにしたい人のための世界遺産

2022年3月31日　初版第1刷発行

著　者　宮澤光
発行者　滝口直樹
発行所　株式会社マイナビ出版
〒101-0003　東京都千代田区一ツ橋2-6-3 一ツ橋ビル2F
TEL 0480-38-6872（注文専用ダイヤル）
TEL 03-3556-2731（販売部）
TEL 03-3556-2735（編集部）
E-Mail pc-books@mynavi.jp（質問用）
URL https://book.mynavi.jp/

協力　世界遺産検定事務局
装幀　小口翔平＋後藤司（tobufune）
DTP　富宗治
印刷・製本　中央精版印刷株式会社

 ISBN978-4-8399-7663-7
Printed in Japan